Ренат Гарифзянов
Любовь Панова

ОТКРОВЕНИЯ АНГЕЛОВ-ХРАНИТЕЛЕЙ

ПЕРЕСЕЛЕНИЕ ДУШ

ACT

ИЗДАТЕЛЬСТВО

Москва

2004

УДК 21
ББК 86
Г21

Оформление и компьютерный дизайн Н.В. Пашковой

Подписано в печать с готовых диапозитивов 07.09.04.
Формат 84×108$^1/_{32}$. Бумага газетная. Печать высокая с ФПФ.
Усл. печ. л. 15,12. Доп. тираж 20 000 экз. Заказ 2358.

Гарифзянов Р.И.

Г21   Откровения ангелов-хранителей: Переселение душ / Р.И. Гарифзянов, Л.И. Панова. — М.: ООО «Издательство АСТ», 2004. —
282, [6] с.

ISBN 5-17-021985-7.

В этой уникальной книге раскрыты тайны мирового устройства,
прошлого нашей планеты. Читатели узнают все о переселении душ, о том,
кем были многие великие люди в своих предыдущих жизнях.
Эта книга поможет людям изменить себя и свою жизнь, стать мудрее и
милосерднее.

УДК 21
ББК 86

ГЛАВА 1

ОТКУДА ЧЕЛОВЕЧЕСКИЕ ДУШИ ПРИХОДЯТ НА ЗЕМЛЮ

Дети помнят свои прошлые жизни

Прочитайте внимательно это удивительное письмо:

Уважаемая Любовь Ивановна!

От всей души благодарю Вас за Ваш труд над этой замечательной книгой «Откровения Ангелов-Хранителей». Эта книга на многое открыла мне глаза, дала многое понять.

И в то же время поставила меня в тупик. Я хочу, если это возможно, чтобы Вы дали мне какой-то совет или разъяснили, что это может значить.

В 1988 году 24 ноября в 4 часа 20 минут я родила своего сына Никиту. Он рос, как все дети. Но когда он начал говорить в 2—3 года, мы были очень удивлены его рассказом. Никита сказал, что он не житель нашей планеты Земля. А житель системы Луна, что он является сыном председателя этой системы.

Что у них в системе начался переворот и отец отправил его на корабле на орбиту с тремя людьми, чтобы они не попали в эту заварушку, но при запуске корабль был поврежден, однако они взлетели, но вышли из своей системы, вместе с пассажирами попали в нашу и упали на Землю. Три человека, которые его сопровождали, погибли.

А он начал искать понимания среди землян, но не нашел, и его поместили в психушку. Оттуда он сбежал и понял, что так ничего не добьется. И как он говорит, понял, что надо родиться в этом мире и тогда уж думать, как попасть к себе домой; увидев меня, решил, что я стану его мамой здесь, на Земле, сделался маленьким и попал ко мне в живот. Так он и родился.

Еще Никита говорил, что его ищут и, когда найдут, где он находится, его заберут отсюда, потому что он нужен там, на своей настоящей Родине. Ему для контакта нужно найти девочку, чтобы связаться со своими, и его задача найти ее. Она должна быть на 3—4 года младше его по земным меркам, светлая, голубоглазая. И когда он ее найдет, то тогда их энергии хватит, чтобы они связались со своими.

Когда Никита был маленький, он мог предсказывать мелкие детали. Такие, например, как рождение у моих братьев детей, он знал, когда они родятся и кто будет. За неделю он предсказал, что у нас сгорит баня. Что, например, в этот день не надо ехать в город, потому что сломается автобус и придется 6 км идти пешком, и всякие мелочи.

Мы его всегда успокаивали, он начнет говорить, мы ему: «Никита, не надо, молчи».

Сейчас Никита уже ничего такого не говорит. Может, мы зря в детстве его останавливали, может, надо *было его развивать и дальше, но для этого нужны специальные люди, а где мы их возьмем?*

Посоветуйте, пожалуйста, что можно сделать сейчас, или уже поздно что-либо предпринимать?

Очень буду Вам благодарна за любой Ваш совет. Очень надеюсь, что Вы поможете мне разобраться в этом вопросе, который мучает меня много лет.

С уважением Молчанова Инна Николаевна.

Когда-то давно, еще в первые месяцы работы Любови Ивановны в Москве, она случайно познакомилась с женщиной и ее четырехлетним сыном Артемом. Но с мальчиком, к сожалению, знакомство получилось лишь заочное — мы просили маму привести к нам этого ребенка, она его нам так и не показала.

Малыш рассказал своей матери, как она считала, фантастическую историю о себе.

Артем говорил о том, что он якобы жил ранее на другой планете, что он там воевал на межпланетном истребителе и, когда он вернется туда, будет вновь летать на истребителе. Рассказывал об устройстве корабля и установленных на нем компьютерах.

Артем поведал, что на его планете очень высокие растения, местные жители используют их в пищу и шьют из них одежду, мясом они не питаются совсем. Дома имеют форму купола, а окна и двери закрываются и открываются в случае опасности автоматически и пропадают в стене.

Любовь Ивановна объяснила матери, что это не выдумки, что мальчик на самом деле рассказывает ей о своей реальной прошлой жизни. Хотя на тот момент

Любовь Ивановна сама не понимала, как это можно объяснить.

Но Ангелы сказали тогда: «Такое бывает, не пытайся понять это сейчас, наступит время, и когда вы будете писать книгу о прошлых жизнях, то мы вам все расскажем. Кстати, это не единственный случай, таких детей множество, позднее будет знакомство с еще одним ребенком, который помнит о своей прошлой жизни».

Когда ребенку передали, что все, что он говорит, это правда, но кое о чем он, кажется, забыл упомянуть — что у него на той планете было пять детей, — Артем очень серьезно ответил: «Нет, о детях я не забыл. Мне очень их не хватает, к тому же двое из них погибли от укуса огромных комаров, которые на моей планете достигают размеров стола».

Случай этот практически стерся из нашей памяти, и лишь когда мы приступили к работе над шестой книгой, когда Ангелы показали нам, как все на самом деле устроено, тогда мы вспомнили об Артеме. И тогда же получили письмо от матери Никиты — это тот самый мальчик, о котором нас предупреждали Ангелы четыре года назад.

Все мы инопланетяне

Вот что говорят Ангелы-Хранители об устройстве нашей Вселенной.

Все планеты Солнечной системы обитаемы. И Меркурий, и Венера, и Марс, и Юпитер, и Сатурн — все планеты до одной населены разумными существами.

Более подробно обо всем этом вы узнаете в одной из книг — «Мы все инопланетяне».

По условиям жизни и по уровню развития наша Земля находится на последнем месте среди всех планет.

Для чего это сделано?

Оказывается, наша планета выполняет функцию некоего исправительного лагеря — именно сюда ссылаются провинившиеся души со всей Солнечной системы.

Если кто-то на какой-нибудь из планет живет не по правилам, нарушая единую для всех Божью заповедь «Возлюби ближнего своего, как самого себя», то его в наказание ссылают на грешную Землю на перевоспитание.

Теперь становится понятно, почему так несовершенен наш мир и о чем думал Господь, создавая нашу Землю.

На Земле специально созданы такие трудные условия для того, чтобы тяжкими испытаниями и страданиями исцелять заблудшие души, каждый из нас послан сюда для того, чтобы в мучениях выдавить из себя дьявола и вернуться в иной, светлый мир.

«На свободу — с чистой совестью!»

Этот лозунг должен стать руководящим для каждого землянина.

Мы все инопланетяне, все мы жили ранее в разных мирах — кто-то на Марсе, кто-то на Меркурии, кто-то на Венере. Каждый из нас совершил какой-то грех и теперь искупает свою вину здесь, в межпланетном Аду — на Земле.

Тот, кто искупил свою вину, прошел очищение до конца, после Высшего Суда отправляется назад на свою благословенную планету. На его место прибывают новые «преступники» с различных планет.

Началась война на Марсе — и миллионы воинственных марсиан переселяются на Землю; нарушили Божью заповедь на Юпитере, и миллионы юпитерианских душ вселяются в тела земных младенцев.

И живут земляне, страдают и мучаются вдали от своей настоящей Родины и даже не знают, что на самом деле происходит в их настоящем доме.

Девять кругов Ада

Чтобы искупить свою вину, каждому новому землянину дают определенное задание. Грехи у всех разные, соответственно и задания у всех тоже разные.

Много-много веков назад каждый из нас пришел на эту планету еще в первобытные времена и начал искупать свои грехи. Умер человек — душа попадает на Небеса, на Высшем Суде оценивается вся жизнь, по итогам Суда душу определяют на Небеса — в Рай или в Чистилище. Потом новое задание — душа переселяется в новое тело и возвращается на Землю.

Опять все идет по кругу, по четко заданной программе.

Чтобы очиститься до самого конца, душа должна совершить девять перевоплощений, девять раз вернуться с Небес на Землю, девять раз спуститься в Ад или стать воистину святой, прожить жизнь праведную, четко выполняя Божьи заповеди, чтоб уйти отсюда и уже больше не вернуться, а продолжать жить в Небесном Раю, при этом издали наблюдая за жизнью на Земле.

Потому эта книга так и называется — «Девять кругов Ада»: это те девять жизней, которые каждый из нас должен прожить на Земле, чтобы вернуться потом на свою родную планету — кто-то на Марс, кто-то на Венеру и т.д.

Почему на Земле гибли цивилизации

К сожалению, иногда получалось так, что души, сосланные на Землю для исправления, вместо того чтобы страданиями очищаться и просветляться, начинали грешить еще больше. Уровень черной энергии на планете начинал расти со страшной силой.

В конце концов все кончалось всемирной катастрофой. Сама планета оставалась целой и невредимой, а все живые существа на ее поверхности умирали.

Все души погибших разом поднимались на Небеса и проходили Высший Суд. Некоторые души, закоренелые грешники, сжигались окончательно, другие души получали возможность начать новую жизнь в следующей цивилизации.

Население нашей планеты растет невиданными темпами и уже перевалило за шесть миллиардов, это означает, что все больше и больше «преступников» поступает на исправление в наш Ад.

Сейчас на нашей планете одновременно живут души тех, кто ранее жил в трех последних цивилизациях, то есть лемурийцы, атланты и люди.

К примеру, лемуриец прожил девять жизней на Земле, но его душа за это время так и не очистилась от черноты.

9

Произошла всемирная катастрофа, и его душа получила возможность пройти повторное очищение в следующей цивилизации — атлантов. То есть она получила возможность еще девять раз спуститься в земной Ад, еще девять жизней прожить на нашей планете.

Если душа не смогла и в этот раз очиститься до конца, то после гибели цивилизации атлантов ей в третий раз предоставляют возможность пройти девять кругов Ада — теперь уже в пятой нашей цивилизации.

Все, третья попытка — она последняя.

Число три — священное число. Не случайно существует именно Святая Троица, и неспроста во всех сказках золотые рыбки, колдуны, волшебники исполняют именно три желания.

Наша цивилизация подошла практически к опасной черте. Если произойдет всемирный катаклизм, то у нас уже не будет шанса вновь прийти на Землю и все исправить.

Как нам помогают Ангелы

Чем больше мы здесь, на Земле, погрязали в черноте, тем больше нам Свыше посылали защитников-добровольцев, которые хотели нам помочь — первым когда-то жившим на Земле людям.

Ангелы — это души тех, кто когда-то жил на Земле, но ушел отсюда в Небесный мир. Это наши родственники, близкие, друзья по всем нашим прошлым жизням.

Все те, кто когда-то жил на Земле, желая помочь нам, оставшимся в этом Аду, день и ночь молятся перед Всевышним, чтобы Он позволил хотя бы одному человеку на Земле приоткрыть тайну мирового устройства, тайну прошлого нашей планеты.

Теперь, когда эта тайна открыта, у человечества появилась возможность понять — кто мы, люди, откуда и для чего мы здесь появились.

И самое главное, что мы должны делать дальше.

Поверят в это люди или нет, зависит только от них самих. Но знайте, что когда человек умирает, его душе на Небесах открывается вся правда. И все умершие в один голос говорят об одном и том же: «Люди, остановитесь, одумайтесь, вы все посланы на Землю только для того, чтобы очистить мир от черноты».

Все умершие молятся перед Господом, чтобы Он позволил дать нам в книгах как можно больше информации и чтобы как можно больше людей прочитали эти книги и поверили всему тому, что в них написано.

Это может спасти человечество.

Многие из нас живут уже 27-ю жизнь на Земле, но так и не смогли очиститься, так и не смогли поверить в Бога и полюбить все живое на Земле по-настоящему.

Раньше боги спускались на Землю

Практически у всех древних народов есть легенды и сказания о том, как когда-то боги спускались на Землю и общались с простыми людьми. Достаточно вспомнить хотя бы мифы Древней Греции, деяния Зевса, Артемиды, Афины, Меркурия, Гефеста.

Почему же боги не спускаются на Землю в наше время?

Вот что говорят Ангелы-Хранители по этому поводу.

Раньше, когда пятая цивилизация только зарождалась, чистой энергии на Земле было несравненно больше, чем теперь, в нынешние времена.

Боги — это души тех, кто когда-то жил на Земле, а потом стал Ангелом и вернулся на свою планету. То есть боги — это души умерших, или инопланетяне.

Они спускались на Землю для того, чтобы помогать людям, подсказывать им, как надо правильно жить.

И пока люди слушали богов, они жили долго. Одни души приходили, другие уходили, все было в гармонии. Но потом произошло самое страшное — один человек убил другого, Каин убил Авеля. И боги разгневались на людей и перестали приходить на Землю.

Потом люди второй раз совершили тяжкий грех. Они убили того, кто пришел их спасти. Они распяли Иисуса Христа. Они по-настоящему не поверили в него и допустили его смерть.

И боги окончательно перестали приходить к людям.

Почему мы не видим инопланетян

Их мир находится в другом измерении, невидимом ни для наших глаз, ни для наших приборов. Поэтому на снимках, сделанных с помощью космической техники, мы можем лишь разглядывать безжизненные кратеры Марса и Луны. Нашему зрению подвластен только физический мир.

Всего в космосе существует семь измерений

Наша планета Земля находится в первом измерении. Рай и Чистилище во втором. Инопланетяне к нам приходят из второго измерения. В других измерениях жизнь устроена еще более сложным способом.

Наша планета Земля — самый простой и примитивный мир.

Почему люди иногда замечают НЛО

У нас на Земле много черной энергии, которая пробуравливает дыры в их другом измерении. Поэтому корабли инопланетян, попадая в эти дыры, становятся нам видимыми.

Инопланетяне знают, что это грозит им опасностью, поэтому они очень быстро пытаются уйти обратно в свое измерение.

В прошлом Земля излучала мощные столбы белой энергии, это были врата в другое измерение. Когда люди были чище, у них меньше было проблем, белые врата в иной мир были постоянно открыты.

Нынче от нас идут туда, в другое измерение, лишь черные лучи. Космические корабли инопланетян вынуждены заделывать эти «дыры», которые способны навредить жителям иного измерения.

Для инопланетян мы своей чернотой представляем опасность, как человек, больной чумой, представляет опасность для всех здоровых людей.

Как выглядят инопланетяне

Инопланетяне — это души существ, когда-то живших на Земле. Попадая на Небеса, они меняют внешность.

Душа инопланетянина — это сгусток энергии, способный думать, работать, созидать. Внешность инопланетян существует только в нашем воображении.

Мы наделены такой же душой, как и инопланетяне, но в отличие от них совершенно не умеем использовать энергию своей души в полную силу. Мы не умеем чувствовать так же, как они, не умеем читать мысли друг друга, не умеем отличить добро от зла, не умеем контролировать свой гнев. Поэтому мы жестоки как звери, настолько жестоки, что инопланетяне просто боятся с нами общаться.

У инопланетян нет внешности — каждый человек видит их такими, какими себе представляет.

Если наши небесные братья представляются ему в виде существ с перепончатыми лапками, то такими они ему и являются.

Если человек будет думать, что силы из другого измерения — это сгусток разумной энергии, то он начнет их видеть в виде энергетического шара.

Если землянин считает, что все инопланетяне — боги, то он увидит их в образе богов, похожих на ангелов, великанов в сверкающих одеждах.

Если человеку кажется, что все пришельцы из других миров — посланники дьявола, прибывшие поработить Землю, то он их видит в соответствующем обличье — страшные маски вместо лиц, рога, копыта, щупальца, когти, пена изо рта, в общем, всякая злобная инопланетная нечисть.

Поэтому только от самих людей зависит, какая внешность будет у наших родственников и близких, когда-то живших рядом с нами на Земле и теперь прилетевших к нам с помощью. Мы можем увидеть в них и богов и дьяволов, все дело лишь в нашем воображении, в наших мыслях.

Соответственно и впечатление после общения с инопланетянами у землян остается самое разное.

У кого-то это самое приятное воспоминание в жизни, встреча с существами из Высшего духовного мира, яркое эмоциональное переживание, способное изменить всю жизнь человека в лучшую сторону.

Для кого-то, напротив, общение с инопланетянами превращается в сущий кошмар — человеку кажется, что эти злобные твари проводили над ним какие-то опыты, мучили его и издевались над ним.

Каждый от общения с пришельцами получает только то, что он хочет.

Примерно похожая ситуация происходит с нашими снами — если человек чего-то опасается и боится, то ему обязательно снится именно то, что его больше всего пугает.

Напротив, людям с чистой совестью и душой снятся приятные радужные сны.

Инопланетяне — это как бы зеркало, в котором каждый человек может увидеть отражение своей души.

К сожалению, в последнее время на киноэкранах все больше и больше появляется фильмов, где инопланетяне представлены в образе злобных монстров, стремящихся поработить нашу никому не нужную Землю.

Люди, которые создают эти фильмы, даже не подозревают, что под личинами всех этих «монстров» на самом деле скрываются их же собственные друзья, близкие и родные, которые умерли раньше и уже успели вернуться на свои родные планеты.

И что видят наши близкие и друзья, когда возвращаются на нашу планету, чтобы помочь нам, оставшимся в Аду?

Вот до каких пределов может дойти человеческое неверие в Бога, неверие в то, что Бог создал этот мир

15

разумным и справедливым. Все плохое, что есть на нашей планете, создано самими же людьми.

Как только люди это поймут, им же самим станет гораздо легче.

Как вернуть обратно милость богов

За две тысячи лет не родился ни один человек, с которым боги заговорили бы так, как они ранее говорили с Иисусом. Две тысячи раз на Землю боги посылали человека, один раз в году в разные месяцы, в разные числа, в разное время в разных частях света каждый год рождался один-единственный ребенок, подобный Иисусу Христу. И каждый раз люди не замечали этого, потому что они верили в несуществующего Иисуса Христа.

Они верили в то, что он рожден от Святого Духа, и считали, что второй раз подобный ребенок будет послан на Землю точно так же. А Бог каждый раз посылал Спасителя точно таким же способом, как Он когда-то отправил на Землю Иисуса Христа, — младенец был рожден от обычной женщины и обычного мужчины.

Если задуматься, то рождение любого человека из соединения крохотных клеток — это и есть самое настоящее чудо, и ничего здесь порочного нет. Так задумано самим Богом.

Люди сами сочинили себе какую-то несбыточную сказку о непорочном зачатии и неистово стали в нее верить. Рождение от Святого Духа — это чудо от Бога, а рождение обычного человека из двух клеток — это чудо от кого? Или это вообще не чудо?

Вот так и слабела вера людей в Господа. Одни чудеса, сотворенные Всевышним, отвергались, другие, несбыточные, Ему приписывались.

Господь терпеливо день за днем, год за годом ждал, когда люди наконец прозреют и поверят в него по-настоящему, без всяких сказок и приукрашиваний.

Бог создал человеческую душу, вселил ее в тело, создал планету Земля, благоустроил ее, сделав пригодной для жилья, создал воду, воздух, растения, животных, предусмотрел все мелочи — разве это не чудо?

Что еще должен сделать Господь, чтобы люди в Него поверили?

Он посылал на Землю Ангелов, Он посылал на Землю Спасителя — люди по-прежнему отказываются признавать Бога, предпочитая верить в какие-то вымышленные легенды и сказки.

И такое длится уже тысячи и тысячи лет!

Что бы вы сами сделали, будь вы на месте Всевышнего?

Люди должны сами почувствовать приход Спасителя. Только тогда может родиться этот ребенок, который спасет мир. У нас есть последний шанс спасти себя и все живое на Земле. Нам нужно всем поверить, что Иисус Христос был рожден мужчиной и женщиной.

Нам нужно поверить, что боги слышат нас и ждут от нас правильных решений.

И если мы все правильно выполним, им не нужно будет с нами говорить. Они не станут с нами говорить, они пошлют сюда ребенка, который сможет заговорить с Богом. И сказать Ему: «Я пришел, меня здесь приняли, меня узнали, в меня поверили. Прости их, Отец».

И Бог, услышав слова Своего Сына, простит людей. Простит, как прощал много раз подряд. И на Земле вновь наступит рай, люди будут жить долго, очень долго в этом раю.

Пока опять один человек не убьет другого. И тогда все вновь начнется по второму кругу.

У Бога все вечно. Может все повториться совершенно по другому сценарию, другие артисты будут играть совершенно другие роли, но тем не менее все повторится.

Как все было изначально

Вначале жизнь зародилась в Мировом океане. Лишь затем живые существа из воды вышли на сушу.

В подводном мире до сих пор сохранилась та идиллия, которая первоначально была создана Богом, в отличие от наземного мира, в котором разумные существа стали устанавливать свои законы.

В подводном царстве нет границ, рыбы пока не додумались до того, чтобы делить океаны и моря между собой. В подводном мире нет никакой иерархии — все рыбы равны, нельзя сказать, что одна селедка главнее другой или один дельфин находится в рабстве у другого. Рыбы одной породы не едят друг друга, никто не убивает себе подобного, как это делаем мы, люди. Один осетр не нападает на другого осетра, один кит не хочет съесть другого кита.

Щука может съесть малька, но никогда не будет сражаться с другой щукой. Щука никогда не будет убивать мелкую рыбешку ради забавы, только голод может заставить ее это сделать.

В подводном мире все находится в гармонии.

* * *

В наземном мире эта гармония давно нарушена.

Люди поделились на нации, на государства, говорят на разных языках и верят в разных богов. Люди даже одной нации и веры стремятся порой убить друг друга из-за какой-то несущественной мелочи.

И так себя ведут самые разумные существа на планете! Разве для этого Бог нас всех такими создал, что мы не можем ужиться друг с другом?

Даже рыбы и те живут в гармонии и согласии с Божьими законами, а мы, люди, оказались хуже рыб. Сочинили собственные законы, живем по ним, мучаемся и при этом считаем, что в наших страданиях виноват кто-то другой.

Изначально Бог создал наш мир разумным — на Земле жил один народ, который говорил на одном языке, были единые для всех законы и единая для всех вера, Бог был для всех един.

Этот мир, в котором мы все с вами сейчас живем, был создан людьми — появились разные государства, разные языки, законы, различная вера, и эти различия стали причинами многочисленных войн между землянами-братьями.

Люди должны осознать свои заблуждения, вернуться к первоначальному устройству мира и поверить в одного единого Бога.

Если люди в это не поверят, тогда в наш мир никогда не придет Спаситель — ни через 15 лет, ни через 80, потому что через 57 лет и 10 месяцев возле Земли пролетит комета, она сдвинет полюса, и планета покроется льдом, как много веков назад.

И только маленькие участки суши останутся нетронутыми, небольшие горстки людей выживут и будут обитать в пещерах.

И все повторится вновь, но начнется уже не в Раю, а в Аду. Заново придется пройти девять кругов уже другой, шестой, цивилизации.

Потому что Бог в отличие от людей умеет прощать, Он просто заставит нас опять проиграть старую пьесу на новый лад.

Время ускоряется

Люди своей неприязнью, своей ненавистью, своей жестокостью, своим кровопролитием добились того, что время сейчас движется с огромным ускорением.

Многие по себе знают, что время стало двигаться гораздо быстрее, чем когда-то было раньше. Не потому, что мы стали взрослыми и нам кажется, что в детстве время двигалось медленнее.

Люди своей чернотой создали это ускорение. И все происходящее в мире — катаклизмы, землетрясения, ветра (к примеру, холодная погода, длящаяся в Краснодарском крае в этом году, невыносимо холодная весна) — это результат наших с вами негативных мыслей и поступков, потому что мы все вместе сделали это ускорение.

Когда люди меньше грешили и меньше злились — время у них двигалось гораздо медленнее. Представьте себе следующую картину: машина едет по пыльной дороге, если она передвигается медленно, то пыль лишь слегка будет клубиться под колесами автомобиля. Но если машина будет нестись с огромной скоростью, то из-за поднявшейся пыли не будет видно саму машину.

Похожий процесс происходит в природе.

Раньше люди жили спокойно, не спеша, и природа, подобно пыли под колесами, лишь слегка бурлила — достаточно ровно проходили все времена года — зима, весна, лето, осень, — и погода была нормальной, и катаклизмов было меньше, и все соответствовало изначальному порядку.

Теперь жизнь человечества все больше и больше напоминает какую-то сумасшедшую гонку, спокойствие природы разорвано в клочья, в мире происходит бог знает что — климатические зоны перемешались, «остатки» зимы вдруг попадают в весну, лето становится засушливым, а зима чересчур холодной.

Сбились механизмы управления погодой и природой — не успеют распуститься почки на деревьях весной, как вдруг ударяют морозы, в 2002 году необычайно сильное наводнение залило весь центр Европы и юг России. В природных катаклизмах гибнут тысячи людей.

Так было всегда. Когда-то люди жили по 800—900 лет, потом стали больше грешить, и время начало ускоряться — в результате годы жизни у людей сократились, уменьшился рост людей.

И чем больше развивалась наша пятая цивилизация, тем быстрее и быстрее начинало течь время, и вот наступила наша эпоха.

Мы с вами подходим не к концу цивилизации, мы с вами подходим к началу другого, совершенно другого мира. И каким будет этот новый мир, зависит только от нас самих, от всех нас.

Для этого и трудятся Ангелы-Хранители, для этого Они и диктуют нам информацию, которую мы в своих книгах доносим до вас.

Чтобы все живущие на Земле поняли, чего именно хотят от них боги, какой они желают видеть нашу планету и что мы должны сделать для того, чтобы превратить земной Ад в настоящий Рай.

Бог нам всем хочет помочь

Бог разделил свой мир на две части — Рай для чистых душ и Чистилище для черных. Он стал отправлять Ангелов на Землю для ее очищения. Ангел-Хранитель приходит сюда, чтобы здесь прожить в теле человека, помогая ему, как машина, наделенная разумом. Союз Ангела и человека должен работать в полной гармонии.

Ангел подсказывает, человек выполняет. Ангел дает только правильные советы, и человек должен стараться выполнить их с наибольшей четкостью.

Бог постоянно напоминает людям о своем существовании, но люди не хотят всего этого замечать — они не обращают внимания на иконы плачущей Богоматери, светящиеся кресты, инопланетные корабли и т.д.

Люди пытаются убедить друг друга, что это всего лишь обман зрения, природное явление или чье-нибудь шарлатанство. Они ни во что не хотят верить. Им намного спокойнее думать, что все в этом мире делается только ради денег и во имя денег, что правильный закон жизни не «возлюби своего ближнего, как самого себя», а «человек человеку волк».

В наших книгах содержатся бесконечные призывы к любви и к доброте, нет ни малейших намеков на насилие или агрессию. Ангелы неустанно продолжают повторять одно и то же: «Бог вас всех любит, люди. Полюбите тоже друг друга».

Несмотря на все это, находятся люди, которым кажется, что эти книги продиктованы дьяволом. Их, конечно, мало, считанные единицы, но все же посмотрите сами, до каких пределов должны быть затуманены мозги у людей, чтобы они говорили такое: «Ваши книги учат любить Бога и людей, значит, они продиктованы дьяволом».

Можете ли вы себе представить более нелепый бред?

К счастью, тысячи и сотни тысяч других людей правильно понимают то, что нам хотят сказать Ангелы-Хранители.

Они придут и скажут нам спасибо. Кто-то телеграммой, кто-то мысленно пожелает нам добра, кто-то напишет искреннее письмо, полное любви и надежды на светлое будущее.

Лучшая награда для нас — когда человек, прочитав очередную книгу, благодарит нас и Ангелов-Хранителей за то, что он узнал, как устроен этот мир, понял свое место в этом мире, изменил свое отношение к окружающим людям и почувствовал, что жизнь его изменилась в лучшую сторону.

Если мы все будем жить так, если мы научимся так все чувствовать и так благодарить Бога, нам не придется больше возвращаться на эту грешную планету по имени Земля.

Наши души очистятся и вознесутся к Богу, для того чтобы жить уже в другом мире, на другой планете, а не здесь, на Земле.

Если бы вы все знали, сколько у Него миров, не грешных, как Земля, а чистых, воздушных, золотистых, серебристых! Там чистота и покой, блаженство души, там нет войн, насилия, зависти, злости, корысти, там каждый человек человеку брат или сестра, там люди при встрече улыбаются искренне.

Даже не прикасаясь друг к другу, они получают такой сумасшедший заряд энергии, который на грешной Земле нельзя получить.

К сожалению, на нашей Земле все загублено нами же самими в наших же прошлых жизнях. Нашу планету губил не кто-то другой, а мы сами ее и портили ранее. А нас снова отправили на то место, где мы когда-то нагрешили.

Мы все связаны вместе. Каждый из нас, живущих сейчас на Земле, когда-то жил уже здесь раньше и общался с теми же самыми людьми, с которыми общается сейчас. И если он вновь повторяет те же самые ошибки из прошлых жизней, вновь всех ненавидит, то в его жизни ничего хорошего не наступит.

Поймите, мы все связаны вместе, никого случайного вокруг нас нет! Все люди, которые вас сейчас окружают, пришли к вам из ваших же прошлых жизней с теми же самыми проблемами.

От нас всех требуется, чтобы мы в это поверили. Каждый из нас поверил в то, что он уже ранее жил на этой Земле, и то, что сейчас с ним происходит, — это результат его прошлых жизней, и винить в этом никого нельзя — ни Бога, ни Ангелов, только самих себя.

Если хотя бы 80 процентов землян поверят в это, то наша цивилизация будет спасена.

И тогда к нам повернется Бог, который давно от нас отвернулся. Он увидит, что на Земле зажегся огонь Веры, Любви и Милосердия. Он повернется к нам, и мы Его вновь увидим.

Наши души все перенесутся к Нему, когда мы в Него поверим. Земля пострадает, многое на ней разрушится, но она все равно останется жить. Мы спасем планету Земля, потому что это колыбель всего живого — отсюда все начиналось. Наши души перенесутся на другие прекрасные планеты, а Земля останется жить.

А потом обязательно на какой-то из Его планет вновь зародится зло, которое захочет разойтись по всему Его царству, чтобы разорить Его. Но зло слишком маленькое по сравнению с Тем, Кто все это создал. И опять начнется вечная борьба добра со злом, белого с черным.

ГЛАВА 2

ЛЮДИ, КОТОРЫЕ ОБЩАЛИСЬ С БОГОМ

Как менялась вера людей

Самая первая, изначальная религия была такой: люди верили в Бога, в мать-природу. Природа, несмотря на все молитвы людей, периодически их наказывала, то в одном месте, то в другом происходили стихийные бедствия, и люди справедливо полагали, что боги на них за что-то гневаются.

Со временем люди все меньше и меньше стали верить в Бога и все дальше и дальше отходить от природы.

Чтобы вернуть людей обратно к истинной вере, на Земле в различных местах стали появляться Ангелы, инопланетяне, которые выглядели в глазах землян настоящими богами.

Люди стали молиться на инопланетян, им было страшно, и чтобы побороть этот страх, они назвали их богами, стали их просить, чтобы они не наказывали людей и не гневались на них.

Чем яростнее люди воевали друг с другом, чем больше они друг друга убивали, тем все реже и реже стали посещать Землю инопланетяне. Они стали опасаться жестоких и злобных людей.

Поэтому со временем у людей вера в богов, которые спускаются с Небес, стала постепенно проходить. Вследствие этого у людей стали уменьшаться рост и продолжительность жизни.

Люди отошли от истинной веры, но продолжали задаваться вопросом: откуда они взялись, кто все это создал, существует ли Бог?

Бог не забыл о людях, периодически Он обращался к избранным землянам, чтобы напомнить жителям нашей планеты, для чего Он их создал и как они должны правильно жить.

Моисей

Четыре тысячи лет тому назад Бог явился Моисею и рассказал ему, по каким Божьим законам должны жить люди.

Вера Моисея в Бога была настолько велика, что он внутренним зрением увидел перед собой Всевышнего в образе высокого человека в сияющих одеждах.

Моисей, вернувшись к своим сородичам, рассказал им о случившемся и передал людям Божьи заповеди.

Кто-то безоговорочно поверил Моисею, кто-то засомневался в его правдивости. Люди разделились — кто-то стал жить по Божьим законам, переданным Моисею, другие стали жить по собственным придуманным правилам.

После смерти Моисея люди решили дополнить и исправить Божьи законы. Считается, что первые пять книг Библии написаны Моисеем собственноручно.

На самом деле это не так. От Моисея и истинного слова Божьего в этих пяти книгах мало что осталось. Вы сами можете определить, что в этих книгах от Бога, а что от людей. Еще раз внимательно перечитайте Бытие, Исход, Числа... — все, что противоречит Божьей заповеди «Возлюби ближнего своего, как самого себя», добавлено людьми.

Все эти правила: «Око за око, зуб за зуб», «Казнить человека, посмевшего работать в субботу», «Как правильно делать Богу жертвоприношения животных» и прочее — ВСЕ ЭТО ПРИДУМАНО ЛЮДЬМИ.

Бог никогда никого не призывал к убийству, никогда ни от кого не требовал, чтобы кто-то делал насилие над кем-нибудь.

Бог не может быть жестоким, мстительным, кровожадным, Он добрый, любящий, всепрощающий.

Точно таким же способом перечитайте внимательно весь Ветхий Завет — все, что противоречит заповеди «Возлюби ближнего своего, как самого себя», все можно смело отвергать: это придумано и внесено в Библию людьми.

Почему Бог явился именно Моисею?

На тот момент евреи были одним из самых притесняемых народов, они находились в рабстве, и Моисей настолько сильно хотел помочь своим сородичам, что Бог услышал именно его молитвы.

Иисус Христос

Прошло две тысячи лет после Моисея, люди настолько далеко ушли от Божьих заповедей, что Бог решил еще раз обратиться к людям через своего Посланника.

Иисус Христос пришел в этот мир для того, чтобы, как когда-то Моисей, напомнить людям о настоящих Божьих законах.

Все вы прекрасно знаете, чем это закончилось.

Слово Божье, переданное через Иисуса, опять исказили, доработали, «усовершенствовали».

Прочитайте внимательно Новый Завет. Все, что противоречит заповеди «Возлюби ближнего своего, как самого себя», — все это придумано людьми.

Люди исправляли Библию как хотели, вписывали туда все, что хотели, и теперь не знают, как же правильно жить по такому странному закону Божьему.

Дошло дело даже до того, что с именем Иисуса и во славу Бога люди стали убивать друг друга.

Разве это Бог хотел сообщить людям, разве к этому Он призывал всех нас, разве для этого Он прислал всеу нас на эту Землю?

Чего хочет от нас Бог

Чтобы мы жили по его Божьему закону, а не по своему человеческому. Потому что Божий закон — он один и един для всего человечества: «Возлюби ближнего своего, как самого себя».

А человеческих законов великое множество, у каждого народа свои законы, писаные и неписаные, и все эти законы противоречат друг другу. И человек, который пытается жить по этим законам, в конце концов попадает в тупик, он начинает чувствовать в своей душе пустоту, ему не хватает простого человеческого тепла со стороны окружающих.

Еще Иисус в свое время, много путешествуя по Азии, по Индии, по Тибету, не переставал удивляться тому, по каким, оказывается, разным законам живут люди в мире, в кого они только не верят, каким только богам не поклоняются, каких удивительных и странных обычаев не существует в природе.

Каких только запретов и ограничений не придумали люди сами для себя — как правильно здороваться, как надо мыть руки, как играть свадьбу, как выбирать невесту и др.

Иной раз попадались такие запреты, что приходилось только диву даваться — индусы из одной касты выбрасывали прочь свою еду, если на нее посмотрел индус из другой касты, такая пища считалась оскверненной; можно привести еще множество запретов из различных религиозных верований, но мы не будем этого делать, чтобы нас не обвинили в оскорблении чувств верующих, но на самом деле в каждой религии есть, мягко говоря, непонятные, странные запреты, и они существовали практически у каждого народа.

Но самое главное, все при этом считали, что эти нелепые запреты придуманы самим Богом!

Бог, держась за голову, смотрел сверху вниз на людишек, которых Он создал, и просто диву давался, пытаясь понять, что в следующий раз выкинут эти неуправляемые создания.

Весь комизм ситуации заключался в том, что, сделав очередную глупость, люди обязательно валили все на Бога!

Кто придумал инквизицию, кто благословил сожжение грешников на костре? Конечно же, Бог!

Кто вдохновляет правоверных на священную войну против неверных — джихад? Естественно, Бог!

Во имя кого совершают самоубийства смертники-камикадзе? Разумеется, во имя Бога!

Кто вдохновляет людей на национальную рознь? Само собой, Бог! Ведь именно Бог создал избранные нации, которые выше других народов. (То, что почти каждый народ на Земле при этом считает избранным только себя, — это уже так, мелочи.)

Даже в быту и в семейных проблемах люди пытаются во всем обвинить Бога.

Сдохла скотина во дворе — виноват Бог.

Жена поругалась с мужем, или муж поругался с женой, оба при этом обязательно вспомнят Бога — Господи, за что мне такое наказание?!

Если сосед, работающий в трех местах, покупает себе новую машину — это еще один повод для того, чтобы упрекнуть Бога: Господи, куда ты смотришь, где твоя справедливость?

Бог виноват буквально во всем!

Самое удивительное — за последние две тысячи лет люди материально стали жить намного лучше. Но при этом в Бога они стали верить еще меньше. Зато больше стали Его во всем винить.

Как, оказывается, трудно достучаться до человеческой души, насколько крепко сидит в ней дьявол!

У Иисуса было необыкновенное терпение, он буквально каждому человеку рассказывал о своем учении и о своей вере, старался спасти практически каждого, он хотел всех научить любви, чтобы каждый человек обрел счастье.

Кто-то даже не хотел слушать Иисуса, другие не могли понять, что он пытается им втолковать, третьим казалось, что за речами Спасителя кроется какой-то хитрый умысел, четвертые быстро загорались идеями всепрощения и любви, но, отойдя от Иисуса в сторону, так же быстро угасали.

Почему Ангелы стали говорить именно с Любовью Пановой

Потому что она очень сильно любит людей. Какой бы человек ни попался ей на пути, она обязательно постарается увидеть в нем что-нибудь хорошее.

И всегда говорит при этом: «В каждом из нас есть частичка Бога. Значит, и в этом человеке тоже есть Бог. Надо всех любить».

Такое великодушие часто доставляет ей много неприятностей. Как ей порой бывает горько и обидно, когда выясняется, что очередной проходимец принял ее необыкновенную открытость души за наивность и простоватость.

Когда Любовь Ивановна сильно расстраивается, то Ангелы начинают ее успокаивать: «Не переживай, прости этого грешного, забудь о нем. Наступит время, и к тебе придут хорошие люди с нормальными душами. А эти были так себе — прохожие. Они так и не поняли, с кем имели дело. Они ни в Нас, ни в тебя не поверили. Бог им судья».

Любовь верит в Ангелов, верит так, как никто другой, поэтому Они с ней и общаются.

Каждому из нас Бог дает именно то, что мы хотим, но при одном условии — если видит, что человек хочет именно этого всем сердцем, всей душой.

Любаша постоянно вспоминает свою бабушку, которая умерла много лет тому назад. Но до сих пор она вспоминает о ней как о живой. Дня не проходит без того, чтобы Любаша не вспомнила: «А вот бабушка сказала... Она меня успокоила... Она меня отругала...»

Люба говорит о бабушке как о живом человеке. Даже больше чем о живом, потому что о живых вспоминают, наверное, меньше.

Можно только догадываться, как именно внучка любила свою бабушку, когда та была жива. Когда бабушка умерла, с Любашей произошла настоящая трагедия. Она так страдала, так рыдала, когда в свежевырытую могилу стали опускать гроб с телом любимой бабули, что Любаша хотела прыгнуть вслед за этим гробом в пахнущую холодом яму. Стоящие рядом взрослые удержали ее от этого безрассудного поступка, бросив ей прямо на руки ее годовалого сына, и это ее немного отрезвило.

После смерти бабушки Любаша никак не могла ее забыть и постоянно мысленно обращалась к ней каждый день. В конце концов душа бабушки не выдержала такого напора и явилась внучке во сне: «Что ты от меня хочешь? Оставь меня в покое, я уже давно умерла».

Девочка тут же ответила: «Я к тебе хочу. Я скучаю без тебя».

«Хорошо, — сказала бабушка, — я буду с тобой разговаривать. Общаться с помощью зеркальца. Но будешь ли ты меня слушаться? Будешь ли ты выполнять все мои советы?»

Любовь Любаши к бабушке была настолько велика, что она, ни секунды не сомневаясь, что с ней говорит именно бабушка, тут же согласилась.

Прошло уже пятнадцать лет, но до сих пор Любаша выполняет все советы своей бабушки, какими бы странными и непонятными они ей ни казались.

В этом месте, читатель, ты должен остановиться и задуматься. И понять, что Ангелы — души наших умерших близких — помогают только тем людям, которые в них верят и готовы выполнять их советы.

Бог разговаривал с Моисеем, с Иисусом и с Мухаммедом только потому, что те в Него очень сильно верили.

Поверь в своих Ангелов-Хранителей точно так же, и они тоже начнут с тобой общаться.

Как говорил Иисус: «По вере вам и воздастся».

Как надо выполнять советы Ангелов-Хранителей

Советы надо выполнять со всей верой.

Однажды Ангелы-Хранители сказали Любаше: «Чтобы полюбить ближнего, как самого себя, надо его понять.

Понять человека — значит его простить.

Чтобы простить человека по-настоящему, надо все забыть.

Забыть — значит никогда не напоминать ему о своих обидах».

В своей жизни Любе пришлось перенести очень много горя, обид и унижений. Но после совета Ангелов-Хранителей, после слов своей горячо любимой бабушки она взяла и простила всех своих обидчиков. И стерла из памяти всякое упоминание о перенесенных неприятностях.

* * *

Представляете, какая бы прекрасная жизнь наступила на нашей планете, если бы все люди точно так же смогли последовать этому совету.

Сколько бы семейных пар обрели покой и благополучие! И не устраивали бы ежедневные ссоры с упоминанием ошибок обоих супругов за все предыдущие годы совместной жизни.

А ведь есть еще такие семьи, в которых супруги никак не могут простить друг другу того, что происходило в их жизни в добрачный период. Сколько мужей постоянно напоминают своим женам о том, что те достались им не девственницами, сколько жен не могут простить мужьям их похождений юности.

Вспомните, Иосиф взял в жены беременную женщину Марию и ни разу после не упрекнул ее за это. В награду Бог послал Иосифу такого удивительного сына, как Иисус.

Иисус простил всех тех, кто его распял. Он никому не стал мстить.

Умейте прощать друг другу все прошлое. Похороните, вычеркните из памяти, закопайте как можно поглубже все свои обиды и начните новую жизнь.

Простите своего соседа и забудьте о том, что в 1969 году его гуси поклевали картошку на вашем участке. Простите свою маму, которая, когда вы учились в десятом классе, нечаянно опозорила вас перед одноклассницей, даже не подозревая об этом. Простите своего отца за то, что он не сразу понял, что вы рождены быть автогонщиком, а не инженером холодильных установок, и пытался вам когда-то навяза   свое мнение.

Вы простите всех, и все простят вам все ваши грехи.

Вспомните, как Иисус судил попавшуюся с поличным блудницу: «Кто здесь без греха, пусть первый кинет в нее камень!»

И пристыженные иудеи потихоньку разошлись в разные стороны, потому что каждый вспомнил о своих грехах.

Недаром говорится в Библии: «Не суди, да и не судим будешь».

А если не только отдельные люди, но и целые народы простят друг другу все свои обиды? Евреи простят палестинцам все зло, сотворенное ими, палестинцы отпустят все грехи евреям, армяне помирятся с азербайджанцами, мусульмане предадут забвению все обиды, нанесенные им христианами, христиане забудут все плохое, что было сделано им мусульманами...

На планете наступит всеобщий мир. Не только на границах государств, но и в частных домах и квартирах.

Если бы все люди умели прощать так, как этого хотят Ангелы-Хранители!

Тогда бы выяснилось, что наш мир не так уж и плох. И Господь Бог не был виноват во всех наших преступлениях и обидах, как нам казалось ранее.

Вот к чему призывали людей инопланетяне-боги, спускавшиеся раньше на Землю с Небес, вот что говорил Моисею Бог на горе Синай, вот чему учили людей Иисус Христос и Мухаммед, вот что пытаются уже в который раз донести до нашего сознания Ангелы-Хранители!

Все очень просто. Не надо ждать, пока на Землю вновь придет Спаситель и начнет менять наш мир. Вы после прочтения этих строк возьмите и САМИ попытайтесь исправить свою жизнь.

Сядьте посреди комнаты, вспомните всех своих обидчиков поименно и простите их. И забудьте о плохом. И никогда больше никому не напоминайте о них. Вам же самим станет легче. Потому что каждый раз, когда вы вспоминаете свои старые обиды, вы, сами того не замечая, расстраиваетесь.

От вас начинает исходить черная энергия, ухудшается ваше здоровье, ваше самочувствие, вы заново начинаете переживать неприятную для вас ситуацию, заново страдать и мучиться.

Зачем устраивать Ад на Земле для самого себя?

И самое главное, поймите, что этот Ад вы создаете для себя сами, никто вас к этому не принуждает, Бог здесь совершенно ни при чем.

Как только вы забудете про нанесенную вам обиду, еще одним черным пятном в вашей душе станет меньше. Вы очистите тем самым свою душу и избавитесь от черноты, которая клубилась ранее вокруг вас пышным облаком.

Не откладывайте это дело в долгий ящик, займитесь своим совершенствованием прямо сейчас.

Мы, каждый день говоря о Боге, ему не верим. Ждем от Него каких-то доказательств того, что Он есть. Если вам кирпич упал на ногу, а не на голову, то это и есть доказательство существования Бога.

Если у вас украли вещи, но вы остались живы, то вы должны упасть на колени и возблагодарить Бога за то, что вас всего лишь ограбили, зато оставили жить. И то Он сделал это лишь потому, что у вас маленькие дети.

А мы не слушаем этого. Мы начинаем проклинать, мстить, наказывать. Мы думаем об этом бесконечно. И еще хотим после этого, чтобы нам на голову не свалился кирпич.

Он обязательно рухнет на наши головы, и если он свалится, то мы опять должны поблагодарить Бога. Если мы вместо прощения опять начнем кого-то клясть, проклинать, тем самым мы создадим себе повторную неприятность.

Если сегодня с вами произошла беда и вы не смогли простить своих обидчиков, то в будущем беда повторится вновь.

Поверьте в Бога по-настоящему

Бог всех нас любит одинаково. Мы все Его дети. Он видит и знает о каждом. Если человек достоин, то награда обязательно его найдет. Если награда до сих пор не нашла вас, значит, вы еще ее не заслужили.

Постарайтесь найти свою ошибку, разобраться в своей жизни. Если в вашей жизни складывается не все гладко, видимо, вы нарушили какие-нибудь Божьи правила.

Может быть, вы не смогли искренне простить своих обидчиков? Сознайтесь в этом хотя бы самим себе. Ведь перед собой лукавить нет никакого смысла.

Может быть, вы недостаточно любите своих близких?

Ну и что, что вам кажется, что они не достойны вашей любви! Вы имеете вокруг себя именно тех людей, которых вы заслуживаете. Постарайтесь более критично взглянуть на самого себя — нельзя жаловаться на своих родных и знакомых.

Родственников ты заслужил по итогам прошлых жизней, новых друзей сам выбрал в этой жизни (хотя и друзья тоже наследуются из прошлых перевоплощений).

Не отчаивайтесь, постарайтесь возделывать тот сад, который вам достался. Если вы смогли очистить свою душу, помогите теперь своему ближнему.

Сами простите всех своих обидчиков и постоянно напоминайте своему ближнему, чтобы он сделал то же самое. Когда из вашего окружения исчезнут вечно недовольные кем-то люди, вам самим станет легче.

Пусть в вашем присутствии все друзья и знакомые говорят только о хорошем. Перевоспитывайте тех, кто подвержен вечному унынию и бичеванию.

Если вы изменитесь в душе, то к вам со всех сторон потянутся нормальные люди, которые до этого, видя ваше вечно хмурое лицо, невольно избегали вашего общества.

Сделайте доброе дело, и Ангелы обязательно отблагодарят вас за это — неожиданным приятным сюрпризом или удивительным знакомством с очаровательным человеком.

Если бы вы только знали, как много возможностей у Ангелов-Хранителей доставить нам радость. И как, оказывается, мало надо сделать для того, чтобы эту радость заслужить.

Как Ангелы нам помогают

Люди приходят к Ангелам на встречу с самыми разными вопросами. Но на самом деле все Ангелы хотят помочь человеку в одном — сделать его счастливым.

Счастье — это очень сложная штука, состоящая из множества нюансов и оттенков. Для полного счастья одних только денег мало, правильно говорят, что «не в деньгах счастье».

Для того чтобы убедиться, как верна эта мысль, взгляните на лица богачей — как много среди них хмурых, озабоченных, НЕСЧАСТЛИВЫХ лиц.

Прочитайте документальные истории о жизни знаменитостей и звезд, и вы убедитесь, что и среди них было очень мало счастливых людей. Недаром многие из них кончали жизнь самоубийством, несмотря на все свои миллионы, славу и популярность.

Далее в этой книге вы ознакомитесь с короткими очерками из жизни знаменитостей, вы, наверное, сильно удивитесь, когда узнаете, как они на самом деле жили, о чем думали, из-за чего переживали, отчего сходили с ума и страдали.

Счастье у каждого человека свое. И Ангелы знают самую короткую дорогу к нему. Они готовы подсказать эту короткую дорогу каждому из нас. От нас требуется лишь одно — поверить им.

И во времена Иисуса, и в наш XXI век люди мучаются от одних и тех же проблем — не хватает в этой жизни любви и понимания, что нужно сделать для того, чтобы стать счастливым.

Люди страдают, мучаются, но при этом умудряются отмахиваться от советов, которые им даются Свыше.

ГЛАВА 3

ПЕРЕСЕЛЕНИЕ ДУШ

С теорией переселения душ почти все из нас знакомы в общих чертах. В это учение верили и древние индусы, и древние греки, и совсем древние египтяне.

Правда, каждый народ верил в переселение душ по-своему, и в итоге до наших дней этот закон человеческой жизни дошел в сильно искаженном виде.

Вот как это учение объясняют Ангелы-Хранители:

1. Человеческая душа вечна. Родившись на Земле, она переживает несколько, чаще всего девять, перевоплощений и затем переходит на следующий — более высокий — уровень, который находится в другом измерении.

2. Переселения душ в мире людей, в мире животных и в мире растений происходят абсолютно независимо друг от друга.

То есть каким бы плохим ни был человек в этой жизни, в следующей он все равно будет человеком. И какой бы умной и сообразительной ни была собака, после смерти она опять сможет перевоплотиться только в собаку.

3. Переселение душ происходит по принципу: если прожил прошлую жизнь по правилам — в этой жизни

получаешь награду, то есть хорошее здоровье, внешность, ум, удачу, богатство, счастье в личной жизни, славу и т.д., и т.п.

И наоборот, если в прошлом ты был бездарной, никчемной личностью со всеми пороками, то в этой жизни скорее всего ты родишься больным, уродом, невезучим, тупым и т.д.

4. Память обо всех прожитых жизнях хранится в душе человека. При всех переселениях характер и ум человека полностью сохраняются.

Именно поэтому все дети рождаются с уже готовым характером, который не меняется потом в течение всей жизни.

Именно этим объясняется вечная загадка: почему гении рождаются в семьях у самых обычных, ничем не выдающихся родителей? И почему у гениев рождаются такие бездарные дети?

Дело не столько в генах родителей, сколько в предыдущих жизнях ребенка.

В общем, если подбить итог, то вырисовывается простая мысль — в этом мире ничего случайного нет, каждый получает от Бога только то, что заслуживает.

Нет никакой игры природы, никаких ошибок, никаких подарков судьбы.

Если ваша жизнь не удалась, то незачем винить Бога, клясть Небеса.

Вы сами выбрали это.

Механизм переселения душ

Как все происходит?

Человек рождается, живет, умирает. После смерти его душа попадает либо в Рай, либо в Чистилище. Отбыв там определенное время, человек снова попадает на Землю, но уже в новом теле.

Вся информация о прошлых жизнях хранится у него в душе. Некоторые маленькие дети ее очень хорошо помнят. Потом по мере взросления они забывают об этом. Во многом тут лежит вина на взрослых, которые, услышав иногда от ребенка странные речи, начинают его высмеивать и ругать. Ребенок тут же замыкается в себе и отказывается говорить на эту тему.

Напротив, если вдруг ваш малыш ни с того ни с чего начнет рассказывать о том, что он уже ранее жил на Земле и был в той жизни тем-то и тем-то, то не перебивайте его, а внимательно выслушайте. Вам просто неслыханно повезло — вы получили ключ к подсознанию своего ребенка. Теперь вам будут понятны мотивы многих его внешне странных поступков и действий.

В чем кроется причина всех страхов

Самые важные моменты прошлых жизней сохраняются в душе человека в четком виде. Например, момент смерти или сильнейшие стрессы.

Если человек погиб, упав с большой высоты, то сам момент падения и весь ужас, связанный с этим, намертво отпечатаются в его памяти.

Переродившись, такой человек не будет помнить всех подробностей предыдущей смерти, но при взгляде в пропасть он бессознательно будет вспоминать пережитый ужас падения.

Водобоязнь возникает у тех людей, которые в прошлом тонули.

Сгоревшие заживо в следующих жизнях испытывают безотчетный страх перед огнем.

Повешенные, задушенные в прошлом испытывают панику, если сейчас кто-нибудь прикасается к их шее.

Похороненных заживо ныне мучает боязнь замкнутых пространств.

Тот, кто погиб в прошлом в человеческой толпе, был затоптан в панике, сейчас испытывает дискомфорт при виде большого скопления людей.

И наконец, почти все земляне чувствуют дикую неприязнь, когда слышат скрежет железа по стеклу или скрип металла о металл. Эти звуки сопровождают каждого, кто погиб от холодного оружия, — именно с таким звуком мечи разрубают человеческие головы вместе со шлемами, именно с таким лязгом стрелы пробивают доспехи на груди и т.д.

А так как эпоха холодного оружия длится уже не одно тысячелетие, то, естественно, почти все живущие на Земле в предыдущих жизнях наверняка испытали смерть от металла.

Причина наследственных болезней

Почему некоторые люди рождаются больными? Это опять же объясняется переселением душ.

Здоровье, болезни, увечья человек наследует из своих предыдущих жизней. Чем ты болел тогда, этим же наверняка будешь болеть и сейчас. Особое значение имеет, как именно умер человек, при каких обстоятельствах.

К примеру, повешенные, задушенные в прошлой жизни — в этой мучаются астмой.

У утопленников сейчас больные легкие.

Церебральным параличом страдают те, кто в предыдущей жизни погиб от взрезывания живота. Предсмертные судороги умирающего при вспарывании живота, кстати, напоминают судороги паралитиков.

Умершие от алкоголизма сейчас страдают печенью.

Если в прошлой жизни человек был конченым эгоистом, интересовался только развлечениями, не обращал никакого внимания на чужие беды и просьбы, то в этой жизни его должно постичь суровое наказание — он может родиться слепым, глухим или немым.

Те, кто в прошлом принял смерть от холодного или огнестрельного оружия, ныне испытывают непонятные боли в месте ранения. Если удар пришелся в сердце, человек мучается сердцем, если рана была в голове — болит голова и т.д. Очень часто места ранений обозначены крупными родимыми пятнами.

Если, к примеру, ребенок постоянно жалуется на то, что тугой воротник чересчур сильно давит ему на шею, то, возможно, в прошлой жизни он был задушен или повешен.

Некоторые дети выходят из себя, когда их гладят по голове. Скорее всего в прошлой жизни этого человека убили ударом по голове.

События прошлой жизни повторяются в следующей

Каждый человек, живущий ныне на Земле, подсознательно, подспудно помнит о своих прошлых жизнях. И, совершая те или иные поступки, человек опирается на свой предыдущий жизненный опыт, накопленный за множество перерождений.

Из одной жизни в другую человек наследует свой характер, и определенные события в жизни повторяются в каждом новом воплощении.

К примеру, человек в прошлой жизни умер очень рано — в 30 лет. Теперь эта дата для него становится роковой. В следующей жизни, вполне возможно, именно в этом возрасте с ним произойдет что-то особенное. Не обязательно повторится уход из жизни, но, вероятно, случится что-нибудь необычное.

Например, в прошлой жизни человек в 35 лет погиб в автокатастрофе. В этой жизни в 35-летнем возрасте он вновь может попасть в автокатастрофу, но на этот раз может остаться живым.

События из жизни в жизнь повторяются в общих чертах, но детали могут отличаться. Удивительная картина прослеживается, когда начинаешь сравнивать судьбы великих людей.

Если человек добился больших высот в этой жизни, то скорее всего таких же высот он добивался и в прошлых жизнях. И самое главное, основные жизненные пути чаще всего повторяются.

Например, Иосиф Сталин в прошлой жизни был Наполеоном Бонапартом. Оба родились в глухих провинциях в бедных семьях. Оба прошли путь от самого низа до самого верха. Оба стали диктаторами благодаря революциям.

Нельзя сказать, что в их судьбах было абсолютно все одинаково. Нет, судьба не повторяется один к одному. Но схожесть действий и мыслей двух великих людей не могут не вызывать удивления.

Для чего существует переселение душ

В предыдущих книгах из серии «Откровений...» уже неоднократно говорилось о том, что нас на Землю присылают с Небес для очищения и исправления наших душ.

Именно Земля считается колыбелью жизни. На нашей планете происходит зарождение всего живого в космосе. Души рождаются на Земле, потом уходят с нее в другие миры, потом вновь возвращаются на Землю для очищения и исправления.

По итогам жизни на Земле душа определяется на заслуженное место в Раю или Чистилище. Места бывают почетные, хорошие и плохие, как в театре — ложи, партер и галерка.

Естественно, никому не хочется сидеть на далекой галерке — всем хочется в партер или в отдельную ложу. Но хорошее место надо заслужить.

Души из Рая возвращаются вновь на Землю для того, чтобы, пройдя испытания, заработать более почетное место в «Небесном театре», сесть поближе к сцене.

Как учеников, плохо выучивших урок, нас заставляют вновь и вновь сдавать экзамен на пригодность. Вся наша жизнь на Земле — это своеобразный экзамен, итоги которому подводятся на Небесах. Каждому из нас дают строго определенное задание и смотрят Свыше — справился человек или нет?

К примеру, женщина жалуется на свою жизнь: «Все мужчины — алкоголики, среди них нет ни одного нормального. Пять раз выходила замуж, и все как на подбор пьяницы!»

Или мужчина говорит: «Все женщины стервы, три раза был женат, всегда неудачно».

О чем это говорит? О том, что Ангелы неоднократно создавали для этих людей определенные ситуации, надеясь, что они наконец смогут разобраться в себе самих и своих жизнях. Но люди так и не поняли, чего от них требуют Свыше.

Нет на свете людей, которые бы никогда не ошибались. Но некоторым людям достаточно один раз попасть в неловкую ситуацию, чтобы сделать для себя правильные выводы.

Другие же люди в течение всей жизни делают одну и ту же ошибку, страдают от этого, мучаются, но в следующий раз в такой же ситуации опять наступают на те же самые грабли.

Точнее будет сказать — эти люди повторяют ошибку не в течение всей жизни, а в течение ВСЕХ своих жизней.

Вот типичная ситуация. С детства Алексей был ленивым и вялым ребенком. Ему ничего не хотелось, его ничего не интересовало. В школе он учился так себе, по принуждению.

После школы не мог выбрать себе нормальную профессию, пошел работать туда, куда знакомые подсказали. Естественно, работал он из-под палки, звезд с небес не хватал. В личной жизни был несчастлив, потому что женился не по любви, а просто потому, что так надо.

Всем своим тоскливым видом Алексей тут же сообщал всем окружающим — да, жизнь не удалась. Мать Алексея, переживая за сына, иногда обсуждает с соседками — почему так получилось, наверное, во всем виновата школа, или армия, или друзья, его жена или еще кто-то. В общем, кто-то виноват.

Знакомая картина, не правда ли? Наверное, у каждого из вас среди знакомых найдется похожий персонаж. И вы сами, может быть, иногда задумываетесь над этим феноменом — почему одним людям везет, а другим фатально сопутствуют одни лишь неудачи? И кто же в этом виноват на самом деле? Родители, школа, гены, общество, коммунизм, телевидение и т.д.?

На самом деле на эту проблему стоит взглянуть намного шире.

Еще в самой первой жизни во времена египетских фараонов Алексей (тогда, естественно, его звали иначе) был ленивым и невезучим рабом.

В средние века Алексей был вялым и безучастным крестьянином в феодальной Европе.

В позапрошлом веке он бил баклуши в крепостной России. В этой жизни в XXI веке он спит на службе в какой-нибудь захудалой конторе.

Ему так привычнее и спокойнее. И никто не виноват в его жизни — ни родители, ни семья, ни школа. Характер Алексея формировался ТЫСЯЧЕЛЕТИЯМИ.

И в эту жизнь, в эти условия Алексей был послан для того, чтобы прервать этот порочный круг, чтобы найти в себе силы изменить себя.

Почему мы все такие разные

Иногда приходится слышать от людей такой необычный вопрос: если Бог всех нас действительно любит, почему он создал нас всех такими разными? Почему люди различаются между собой характерами, красотой, богатством, талантами и т.д.? Если Бог всемогущ, то почему он не устранит все эти различия между людьми? Тогда все будут одинаково счастливы и добры, никто никому не будет завидовать, все будут любить друг друга и т.д.

Бог нас создал на Земле такими разными, потому что каждый из нас пришел на эту планету решать свои задачи. Перед каждым из нас стоит своя строго определенная задача: исправить какой-нибудь свой определенный порок — зависть, злость, гнев, жестокость, эгоизм, жадность, тщеславие и т.д.

Каждый из этих пороков исправляется особым способом. К примеру, чтобы исправить жестокого человека, его отправляют на Землю в образе слабого, беззащитного человека и создают для него такие условия, чтобы он на своей шкуре испытал все те унижения, которым он подвергал других людей в своих прошлых жизнях.

Клин вышибается клином. Иногда порок так глубоко сидит в человеке, что в течение одной жизни исправить его бывает невозможно. И тогда из одной жизни в другую человека гоняют по кругу в одних и тех же условиях до тех пор, пока хотя бы немного не уменьшат в его душе зло.

К примеру, Наполеон, отличавшийся тщеславием и жестокостью в прошлых жизнях, от рождения был слабым и тщедушным мальчиком. Но все равно, несмотря на это, он отличался повышенной злобой и вспыльчивостью.

Бонапарт, как известно, залил кровью всю Европу. В следующей жизни он опять пришел на Землю в образе слабого и тщедушного ребенка, который стал впоследствии Сталиным — руководителем Советского Союза. Вся страна умылась кровью. Опять.

И так Небеса поступают с каждым из нас, стараясь в каждом из нас задушить дьявола, исправить тот или иной порок.

Поэтому если вам кажется, что судьба лично к вам неоправданно жестока и несправедлива, что вам с рождения не везет, вы родились не в той стране, не у тех родителей, не в ту эпоху, то не спешите и не горячитесь.

Задумайтесь над тем, почему ЛИЧНО вам были созданы именно такие условия и для чего это было сделано, ведь ничего случайного в этом мире нет.

Помните, каждый из нас приходит в этот мир для того, чтобы в первую очередь изменить самого себя, а не окружающий мир.

Почему так тяжело изменить самого себя

Человеческая душа — это сгусток энергии, живущий по своим определенным законам, которые нам, простым людям, понять достаточно сложно.

Есть такое выражение: «Чужая душа — потемки». Правильнее было бы сказать: «Своя душа тоже потемки».

Вам, наверное, не раз приходилось слышать такую фразу от своих знакомых: «Я чего-то хочу, но сам не знаю, чего именно».

Даже в своих собственных желаниях бывает порой трудно разобраться. Тут еще вдобавок кто-то предлагает вам изменить себя, устранив какие-то непонятные свои пороки.

Большинство людей любят себя, родных, такими, какие они есть, искренне считая свои пороки достоинствами.

Злому и жестокому человеку все время кажется, что его кто-то хочет обидеть, поэтому надо успеть упредить обидчика и нанести удар первым. И это, по его мнению, очень разумное поведение.

Вспыльчивый человек уверен, что он хорошо владеет собой, но так как все окружающие специально стараются довести его до белого каления, то он лишь вынужден защищаться.

Завистливому кажется, что все другие добились успеха в жизни неправедным путем, а вот лично ему самому не повезло в жизни не оттого, что он сам ленивый, а потому, что он чересчур честный.

Очень часто супруги, вместо того чтобы просто любить друг друга, устраивают настоящую «войну нервов», стараясь криками и скандалами что-то доказать своей второй половине. При этом некоторые люди искренне полагают, что только оскорбив и унизив своего спутника жизни, можно добиться от него чистой и нежной любви. Им и в голову не приходит, что люди любят друг друга за ДОБРОТУ, за НЕЖНОСТЬ, за ЛАСКУ, а не за крутизну и хамство.

Точно так же многие родители пытаются силой вырвать у своих детей любовь к себе. Они считают, что, только сломав ребенка психологически, растоптав его самолюбие, можно заставить его уважать и почитать отца с матерью.

Оглянитесь вокруг себя повнимательнее, присмотритесь к самому себе, к своим знакомым и соседям и вы увидите, как много агрессии в этом мире. Никто никому ни в чем не хочет уступать. Каждый старается обидеть и унизить своего ближнего, считая про себя, что иначе в этом мире никак нельзя. Оскорбив ближнего, человек, как правило, потом ГОРДИТСЯ этим, хвалясь налево и направо своим хамством.

Сколько нужно времени и сколько нужно усилий для того, чтобы искоренить в нас всех это зло, сидящее в наших душах? Одной человеческой жизни для этого просто мало.

Поэтому люди вновь и вновь возвращаются с Небес на Землю, стараясь очиститься и исправиться в лучшую сторону. Другого способа искоренить зло просто нет.

Зло нельзя выжечь каленым железом или убить каким-нибудь оружием. Зло выдавливается из человека по капле, медленно и долго.

Очень трудно перевоспитать взрослого человека, уже закостеневшего в своих взглядах и привычках. Но наши Ангелы-Хранители занимаются именно этой работой — Они нас ВОСПИТЫВАЮТ.

Люди по ошибке считают, что главная задача Ангелов-Хранителей — это охранять нас и беречь от разных неприятностей. Если вдруг случается беда, человек порой обижается на своих Ангелов и даже на Бога: «Эх вы, Небесная гвардия, какие же вы после этого Хранители, если не смогли меня спасти от беды?»

Ангелы относятся к нам как родители к собственным детям — учат жизни, воспитывают, показывают на примерах, внушают, стараются помочь. Умный родитель готовит своего ребенка к взрослой жизни, рассказывая как можно больше об окружающем мире.

У недалеких родителей, которые, напротив, стараются замкнуть своих детей как бы в оранжерею, отгораживают их от всего мира, дети вырастают абсолютно неприспособленными к жизни, неудачниками и нытиками, которые не могут найти контакта с окружающими.

Еще раз повторите про себя эту мысль: ничего случайного в этом мире нет.

Что Бог ни делает, Он все делает к лучшему.

Бог испытаний не по силам не дает.

Бог нас всех любит, потому что мы все Его дети.

Что такое дежа-вю, почему оно происходит

Есть такой превосходный американский фильм «День сурка» с актером Биллом Мюрреем в главной роли.

Сюжет фильма достаточно оригинален — главный герой, проснувшись однажды утром, неожиданно обнаруживает, что он попал во вчерашний день. Вокруг него происходит что-то невероятное, все события вчерашнего дня повторяются в неукоснительной последовательности — вот официантка в кафе уронила поднос, вот на улице его чуть не сбила собака, вот он встретил на углу старого знакомого, вот девушка слово в слово повторяет сказанные накануне слова.

Иногда такое странное состояние бывает с каждым из нас. Иногда вдруг накатывает что-то такое, и тебе начинает казаться, что все, что происходит с тобой сейчас, когда-то с тобой уже происходило. К примеру, ты заходишь в незнакомое помещение, и тебе на секунду кажется, что ты тут уже был. Или кто-то произносит какую-то фразу, и тебе кажется, что ты это уже слышал.

Это странное состояние бывает практически у всех людей, каждый человек в течение жизни хотя бы раз, но пережил нечто такое. А у многих людей подобные ощущения бывают достаточно часто.

Это состояние получило название «дежа-вю».

Представьте себе такую картину — вы едете на автомобиле по скоростному шоссе. Вдруг дорога разделяется на три части, вы после некоторого раздумья выбираете один маршрут и сворачиваете на нужный вам путь.

Примерно таким же образом устроена наша жизнь. Дорога — это судьба. У каждого из нас есть множество вариантов судьбы, об этом уже неоднократно говорилось в предыдущих книгах из серии «Откровения Ангелов-Хранителей». Вы — хозяин своей судьбы и можете выбрать любой вариант примерно так же, как водитель выбирает разные маршруты для путешествия.

Ваш автомобиль — это ваша жизнь. Вы можете поехать по любой дороге. Можете свернуть с основной трассы, а потом, проплутав по лесным закоулкам, вновь с опозданием вернуться на главную дорогу. А можете настолько отъехать в сторону, что уже никогда не вернетесь к первоначальному маршруту.

Когда вы подъезжаете к развилке, то видите перед собой три дороги. Одна из них самая лучшая, две другие похуже. Ваша задача — выбрать правильный путь.

Перед тем как вашу душу посылали на Землю, ей там, на Небесах, показали правильную дорогу. Информация о ней хранится в вашем подсознании.

Вы должны вытащить из своего подсознания воспоминания о правильном пути. Это очень трудно сделать, потому что на Земле слишком много черноты, которая мешает нам заглянуть в собственную душу.

Если же вы смогли это сделать, выбрали лучший для вас вариант судьбы и выполняете то, что вам было предназначено свыше, то у вас появляется странное чувство, что вы когда-то где-то это уже видели. Это действительно так, дежа-вю указывает нам на то, что мы идем правильным путем.

Если человек сворачивает с главной дороги — дежа-вю прекращается. Если возвращается, то дежа-вю возобновляется.

Потом, уже после смерти, когда душа попадает на Небеса, человеку вновь показывают всю его жизнь в подробностях — все его ошибки, все упущенные возможности, и человек прекрасно видит, как он мог красиво и достойно прожить свою жизнь, какие возможности он упустил, и т.д., и т.п.

Все мы актеры в руках Бога

Мы как актеры на сцене, Ангелы наблюдают за нами как зрители в зале. И не мешают нам.

Если вы придете в театр, вы же не будете указывать актерам, как им играть. Актер сам знает, как играть ту роль, которую он выбрал. Зрители смотрят из зала, стараясь не мешать актерам, точно так же и нам никто не мешает играть каждому свою судьбу.

Но когда мы не знаем, что нам делать, тогда мы спрашиваем подсказку у суфлеров. Если быть очень внимательным, тогда ее можно услышать от наших

Ангелов-Хранителей — суфлеров в наших жизненных театрах.

Мы все актеры, но мы не авторы пьес, в которых играем. Все наши роли придуманы невидимым Автором, который к тому же является Главным Режиссером.

От нас, актеров, зависит лишь одно — попадем ли мы к Автору и получим ли мы новые роли в Его пьесе. Если мы плохо играли в Его предыдущей пьесе, то Он может отказать нам. Если Ему понравилась наша игра, то Он пригласит нас в свою новую постановку, даст возможность еще раз блеснуть на сцене.

У Бога нет ничего невозможного, Его фантазия не знает предела.

У каждого артиста есть свое амплуа — кому-то хорошо удаются роли героев-любовников, у кого-то великолепно получаются роли роковых красоток, кто-то прекрасно справляется с ролями добродушных отцов семейств, у кого-то внешность прирожденного разбойника, у кого-то ангельский взор, у кого-то руки дровосека, кто-то хохотун, кто-то молчун...

Каждому найдется своя роль для его характера!

И у каждого из нас в послужном списке есть блестяще сыгранные роли и откровенные провалы.

Для чего нужно знать свои прошлые жизни

Любую свою боль или беду человек воспринимает как наказание, хотя это просто плата за то, что было нами когда-то совершено в прошлых наших жизнях. И если происходит сейчас расплата, значит, мы должны возблагодарить Бога за то, что Он позволил нам пережить ее здесь, на этом свете.

Значит, пережив расплату и приняв все со смирением, мы сможем с вами вместе подняться выше. Наши души могут стать чище. Главное, только понять, почему это происходит, за что. Что-то идет оттуда каким-то грузом или это уже наше, здесь наработанное?

Из глубин прошлого складывается все, что с нами происходит в дни сегодняшние. Суммируется то, что было в прошлом, добавляется то, что с нами происходит, и потом определяется, что с нами произойдет в будущем.

Вот так происходит постоянно с душой человека. Придя из глубин прошлого, она или очищается, или погружается еще глубже в трясину.

Подходя опять к Богу, душа получает то, что она заслуживает на сегодняшний день. И, видя, как она была не права, она вновь молит и просит Бога вернуть ее на Землю для того, чтобы очиститься.

Человечество может прекратить это безумие, длящееся целую вечность, очень легко и просто. Нужно только поверить в Бога, почувствовать Его. Понять, зачем Он нас сюда прислал. Что мы совершили в прошлом такого, от чего нам нужно избавиться и очиститься в этом.

Нельзя просто пойти в Центр магии и заплатить деньги за то, чтобы тебе почистили карму. Карма так не чистится. Чтобы ее действительно очистить, нужно совершить определенные поступки: кому-то подать милостыню, кого-то спасти от смерти, кому-то помочь в трудную минуту. А к кому-то пойти и попросить прощения, искренне раскаиваясь при этом.

Самое главное — надо всех людей, какими бы они ни были, с любовью и верой в Бога принять в свое сердце. Только тогда, только после этого остановится круговорот переселения души и человек наконец-то сможет вернуться на свою родную планету.

Ход времени замедлится. Люди будут жить здесь очень долго. И, уходя отсюда, они будут прилетать в места не менее прекрасные, чем наша Земля.

Пробыв там, им наскучит быть на одном месте, где все прекрасно, потому что хорошее тоже надоедает, и тогда они в любой момент, когда только пожелают, смогут вернуться обратно на Землю, в колыбель человечества.

Люди гонятся за материальным богатством, они думают только о деньгах. Практически нет людей, которые не интересовались бы у Ангелов в первую очередь, как решить материальные проблемы, как раздать долги, как что-то купить, как поменять квартиру.

Люди постоянно говорят об одном и том же — их интересует лишь материальная сторона жизни. Они не спрашивают о духовности, они не спрашивают, как помочь Ангелам-Хранителям, они не спрашивают, как им очистить душу, что нужно сделать для того, чтобы уйти из жизни и не оставить здесь никакого следа, чтобы полностью выполнить долг в этой жизни, чтобы Там быть прощенным полностью.

Зная, как сложилась судьба человека в прошлом, можно предвидеть, какие трудности могут подстерегать его в этой жизни, как правильно следует обходить те или иные препятствия.

Если, к примеру, в прошлой жизни человек умер от пьянства, то в этой жизни ему следует особенно осторожно относиться к употреблению алкоголя. И если для одного человека алкоголь — это лишь средство для периодического снятия напряжения и поднятия настроения, то для другого он может стать смертельным зельем.

Перед выдающимися личностями стоят свои проблемы — как правильно прожить свою жизнь, чтобы не было потом «мучительно больно за бесцельно прожитые годы».

У великих людей и проблемы все великие. Это только недалекому человеку может казаться, что жизнь звезд состоит из одних праздников и побед, что все знаменитости постоянно купаются в лучах славы и все их проблемы укладываются в одну фразу — «с жиру бесятся».

Великим людям на самом деле приходится намного тяжелее, чем обычным людям. Каждый твой шаг, каждое твое действие не остается не замеченным многочисленной публикой.

Далеко не каждый может спокойно жить и работать в такой атмосфере, далеко не каждый может с легким сердцем не обращать внимания на людские пересуды и откровенные сплетни, не замечать чужую враждебную зависть.

Как сказала итальянская актриса Софи Лорен: «Популярность — это так здорово в первые два месяца, и так ужасно тяжело всю оставшуюся жизнь».

Вот так проходит жизнь. Интересно, кто из нас когда и с кем встречался в прошлых жизнях, кого мы обманывали в тех жизнях, кому помогали, кого любили?

Теперь мы должны попытаться все вместе простить друг другу все грехи из прошлых жизней.

Бывает так, что один человек когда-то, двести лет назад, убил на дуэли другого, а теперь, спустя два столетия, вновь встретившись в этой жизни, они органически не могут терпеть друг друга и при этом не понимают, в чем причина такой резкой взаимной неприязни.

Если бы вы верили в прошлые жизни, то задумались бы, почему один сосед вас так сильно любит, а другой, напротив, так ненавидит.

Поняв причину, вы бы нашли в себе силы встретиться с соседом и дружески поговорить с ним о прошлом, сказать ему: «Слышишь, Степан, не держи на меня зла. Я пятьсот лет тому назад на тебя на козе наехал и боднул неосторожно. Давай забудем об этом».

Вы рассмеетесь, пошутите и успокоитесь. И только таким способом можно прекратить все разрухи и войны.

После смерти человеку показывают не только его последнюю жизнь, но и все предыдущие. Иногда говорят: «Вот видишь, ты в этой жизни совершил точно такую же ошибку, как и тогда. Ты специально приходил на Землю для того, чтобы исправить ее, и не смог».

А иногда, наоборот, хвалят: «Смотри, ты оступился, но нашел в себе силы исправить свою ошибку. Снял с себя часть груза, копившегося веками. Продолжай в том же духе до тех пор, пока вся грязь, налипшая на твоей душе, не отвалится от нее окончательно».

* * *

Только попав во вчерашний день, можно изменить свое будущее. Как только человек попадает в свою реальность, он начинает двигаться вперед, медленно, как во сне.

Души уродов с короткими ногами, с церебральным параличом. Обычно это души пьяниц, убийц, наркоманов. Те, кто ушел, находясь на самой галерке, они тоже просятся с галерки в партер.

Президент страны добровольно от своей должности не отказывается.

Чтобы иметь место в том мире, в этом мире пытаются достичь большего, приходя на Землю, нам дают такую возможность, но при одном условии — у нас стирается из памяти всё. Информацию точную знает наш Ангел-Хранитель.

Человеку пишут сценарий, до 25 лет можно внести изменения в программу, хорошие мысли могут дать хорошие изменения в программе, плохие — плохие.

ГЛАВА 4

ПРОШЛЫЕ ЖИЗНИ ВЕЛИКИХ ЛЮДЕЙ

Каждый человек приходит в этот мир для того, чтобы выполнить стоящую перед ним задачу. Великие люди в каждой своей жизни выполняют одни и те же стоящие перед ними задачи. К примеру, одни люди в каждом своем перерождении становятся царями и правителями, другие — учеными и исследователями, третьи — писателями, четвертые — врачами и т.д. Хотя периодически душа может вселяться в обычного человека, для своего блага — очищения.

Все повторяется и в то же время меняется. Каждого человека готовят для какой-нибудь особой важной миссии. И для каждой миссии подбирают именно того, кто по своим взглядам и по своему характеру соответствует поставленной задаче и кто заслуживает ее выполнения.

Александр Македонский — Иван Грозный — Петр I — Николай I

Наиболее яркий пример, подтверждающий эту мысль, — жизнь великого человека, который четырежды появлялся на Земле в обликах Александра Македонского, Ивана Грозного, Петра I и Николая I.

63

Если сравнивать жизненный путь этих четырех на первый взгляд совершенно разных людей, то нельзя не поразиться тому, насколько схожи их судьбы.

Александр Македонский
(356—323 до н.э.)
Царь Македонии, создатель крупнейшей мировой империи древнего мира.

Иван Грозный
(1530—1584)
Первый русский царь.

Петр I
(1672—1725)
Первый российский император.

Николай I
(1796—1855)
Российский император.

Все четверо родились в царских семьях и были родными детьми правящих монархов. Этим обстоятельством все четверо невероятно гордились, усматривая в этом покровительство Небес.

Считая себя Божьими избранниками, посланными на Землю для того, чтобы вершить великие дела, они изо всех сил старались оправдать возложенное на них доверие и выполнить поставленные перед ними задачи.

Каждый из них, понимая, что он рожден не для обычной земной жизни, старался добиться невероятного и оставить яркий след в истории человечества.

И Небеса явно покровительствовали всем четырем.

Ранняя смерть отцов

Каждый из них очень рано потерял отца и еще в юношеском возрасте получил титул правителя. Это обстоятельство повторялось в жизни каждого с неумолимым постоянством.

В 336 году до нашей эры, во время пышного празднования в Эгах, древней столице Македонии, македонский царь Филипп был убит на глазах своего сына Александра и многочисленных гостей. Телохранитель Филиппа Павсиний заколол его коротким клинком, когда Филипп подошел к самому входу на арену театра.

Убийца, сделав свое черное дело, пытался убежать с места происшествия, но его догнали и пронзили копьями.

После трагической гибели отца 20-летний Александр стал царем Македонии.

Убитому царю Филиппу было 54 года.

Отец Ивана Грозного, русский великий князь Василий III, тоже умер в 54 года от тяжелой болезни.

После смерти отца в 1533 году главой Русского государства стал трехлетний Иван. От имени ребенка страной стала править его мать Елена Глинская.

В 1547 году Иван был венчан на царство. Ему было в то время 17 лет.

Петр I, как и Иван Грозный, потерял своего отца в трехлетнем возрасте.

В 1676 году в возрасте 47 лет умер русский царь Алексей Михайлович. Царем стал его старший сын Федор, который неожиданно скончался в 1682 году.

После этих событий в 1682 году десятилетний Петр был провозглашен русским царем.

Иван Грозный и Петр I потеряли отцов в трехлетнем возрасте. Николай I остался без отца в четыре года.

В 1801 году дворяне убили отца Николая — российского императора Павла I — в Михайловском замке в Санкт-Петербурге.

Павел I погиб от рук заговорщиков точно так же, как и отец Александра Македонского царь Филипп.

Трагические обстоятельства совпадали до мелочей. Вот такая удивительная связь времен. Убийство отца, заговор против властительного царя — это сильнейший стресс для ребенка. И Александр, и Николай всю свою жизнь опасались дворцовых переворотов, чувствуя за спинами тени убитых отцов.

И это еще не все.

Если сравнить обстоятельства, при которых получили российский трон Петр I и Николай I, то нельзя не поразиться невероятным совпадениям.

У обоих отцы рано ушли из жизни — оба в 47-летнем возрасте.

После смерти каждого из них трон вначале наследовали старшие сыновья, а после преждевременной неожиданной кончины обоих власть переходила в руки младших сыновей.

В 1682 году скоропостижно скончался царь Федор, и власть перешла к его младшему брату Петру I.

В 1825 году в Таганроге скоропостижно скончался 47-летний (опять 47!) российский император Александр I, и власть перешла к его младшему брату Николаю I.

Такое ощущение, что Небеса буквально расчищали дорогу для своих избранников. И каждый раз делали это с удивительным совпадением в мелочах и деталях.

Правление начиналось с восстания подданных

Александр, Иван, Петр, Николай — все очень рано потеряли отцов и очень рано получили в руки власть. И каждому из них в самом начале своего правления пришлось столкнуться с серьезной опасностью — неповиновением заговорщиков, открытым мятежом и восстанием против государя.

Но каждый раз происходило одно и то же — молодой государь с блеском побеждал мятежников и заставлял всех окружающих думать о себе не как о неопытном юноше, а как о суровом, решительном правителе.

Каждый из четырех проявлял жесткую хватку в самом начале своего правления, и эта хватка не ослабевала со временем.

Когда 20-летний Александр стал царем Македонии, то его противники стали называть его «юнцом и олухом», говорить о том, что надо начать против молодого царя войну и разгромить его прежде, чем он успеет опомниться.

Молодой царь, не мешкая, собрал войско и, совершив стремительный поход, оказался под стенами мятежных городов. Увидев перед собой македонские фаланги, повстанцы сочли благоразумным сдаться на милость победителя и признать его власть. Нового царя признали фессалийцы, фиванцы и даже гордые афиняне.

Но спустя год в греческом городе Фивы вновь вспыхнул мятеж. Повстанцы решили бороться с Александром за свою независимость.

В ответ Александр, не медля, выступил в поход. Вначале он вновь предложил повстанцам сдаться, обещая в этом случае простить всех виновных.

После категоричного отказа мятежников Александр штурмом взял древний город. По свидетельству летописца, легендарный город был буквально стерт с лица земли, а все его жители проданы в рабство. Особым указом всем остальным грекам было запрещено предоставлять кров беженцам из Фив.

В дальнейшем царь Александр всегда поступал аналогичным способом. Если неприятель сдавался и добровольно подчинялся македонскому царю, то Александр сменял гнев на милость и с уважением относился к побежденному.

В противном случае Александр бился до победного конца, никогда не отступая перед неприятелем. Победив, он становился беспощадным и жалости к врагам не ведал.

В 1547 году в Москве был венчан на царство 17-летний царь Иван, впоследствии прозванный Грозным.

Через несколько месяцев в Москве вспыхнул мятеж. Поводом к восстанию послужили крупные пожары, от которых пострадало значительное количество домов и дворов. Выгорели даже Московский Кремль и городские укрепления. Погибло 1700 человек.

Погорельцы собрались на площади, кто-то крикнул, что виновники пожара — родственники царя. И возмущенная толпа кинулась искать обидчиков. На глазах у царя Ивана был схвачен и убит его родной дядя.

Иван в летописи подробно описал этот мятеж. Он был сильно напуган, но тем не менее не потерял самообладания. Боярам удалось убедить восставших успокоиться и прекратить беспорядки.

С самого начала своего правления Иван увидел, насколько опасен неуправляемый люд, к каким бедам может привести отсутствие твердой руки у правителя государства.

Получив этот наглядный урок, царь Иван Грозный в дальнейшем всегда старался держать ситуацию под контролем, уничтожая малейшие попытки бунтарства и противоборства. У руля страны должен стоять жесткий правитель, против которого никто не посмеет подать голос.

Точно в такую же ситуацию попал в свое время царь Петр I и тоже в 17 лет. История повторилась с точностью до мелочей.

В 1689 году царевна Софья, заручившись поддержкой стрельцов, попыталась убить молодого царя и взять власть в свои руки. Испуганный Петр, узнав о готовящемся заговоре, быстро покинул село Преображенское и укрылся в Троицком монастыре.

Сюда стали стекаться преданные царю Петру войска. Вокруг Софьи, находящейся в Москве, наоборот, верных людей становилось все меньше и меньше.

Целый месяц длились переговоры между Софьей и Петром, в конце концов царевна, поняв, что благоприятный момент упущен и ей теперь никак не одержать победу, сдалась на милость победителя.

Софья отреклась от власти и удалилась в Новодевичий монастырь.

Петру I удалось удержать власть в руках путем уговоров и увещеваний, как в свое время и Александру Македонскому, и Ивану Грозному.

Но история вновь повторилась. В 1698 году стрельцы второй раз подняли восстание против царя. На этот раз Петр I был жесток и беспощаден. Он поступил точно так же, как в свое время Александр Македонский обошелся с мятежными Фивами.

Стрелецкие полки были разгромлены, все зачинщики восстания казнены. Петр собственноручно отрубил головы пятерым стрельцам и заставил своих приближенных повторить то же самое — собственноручно рубить головы стрельцам.

Около двухсот стрельцов были повешены вокруг Новодевичьего монастыря, в котором укрывалась царевна Софья, и их трупы не убирались в течение пяти месяцев. В руки повешенным были вложены письма, написанные Софьей заговорщикам. Царевна несколько месяцев, подходя к окну, видела перед собой висящие смердящие трупы.

После этого восстания все московские стрелецкие полки были расформированы. Более тысячи стрельцов были казнены, многие сосланы.

Царь Петр показал, что, когда нужно, он может быть крайне жестоким, особенно если кто-нибудь покушается на его власть.

В похожую ситуацию попал император Николай I.

В 1825 году в Санкт-Петербурге произошло вооруженное восстание декабристов. На Сенатскую площадь вышли войска столичного гарнизона, отказавшиеся присягать новому императору Николаю I.

Николай I пытался через своих посланников уговорить восставших разойтись с миром. Но, наткнувшись на категорический отказ, был вынужден дать приказ об открытии огня против мятежников.

Восстание было разгромлено, наиболее активные участники мятежа высланы в Сибирь, а его организаторы казнены.

Вначале Николай I хотел четвертовать пятерых зачинщиков бунта. Колесование — это вид казни, когда палач поочередно отрубает жертве сначала ноги, потом руки, а лишь потом голову. Но решив не шокировать просвещенную Европу средневековыми казнями (все-таки XIX век как-никак на дворе), Николай I распорядился просто повесить декабристов.

Сравните, Петр I в свое время собственноручно отрубил головы пятерым стрельцам. Спустя более ста лет Николай I отдал приказ о казни пятерых государственных преступников.

К врагам трона никакой пощады — хоть в древние века, хоть в средние, хоть в современную эпоху.

Образованность

Все четыре монарха — Александр, Иван, Петр и Николай — были прекрасно образованными для своего времени людьми.

У Александра Македонского в юности учителем и наставником был знаменитый греческий философ Аристотель, который дал своему ученику великолепное образование. Александр прекрасно разбирался в медицине, биологии, астрономии, геометрии, поэзии и риторике.

В военных походах Александра всегда сопровождали ученые, которые исследовали далекие, неведомые европейцам страны и края.

Русский царь Иван Грозный был от природы любознательным человеком. Он живо интересовался всеми успехами наук и искусств в западных странах и даже посылал специального человека в Германию с поручением пригласить в Москву просвещенных людей — ученых-богословов, врачей и ремесленников. Западные монархи постарались воспрепятствовать этой затее и не отпустили ученых людей и специалистов в Россию, чтобы не допустить усиления последней.

Именно при Иване Грозном на Руси была отпечатана первая книга. В 1564 году первопечатник Иван Федоров выпустил в свет первую русскую книгу «Апостол».

Иван Грозный собрал уникальную библиотеку древних рукописей и книг. Все видевшие это собрание бесценных фолиантов отзывались о нем с восторгом и восхищением. Основу библиотеки Ивана Грозного составили книги из знаменитой Александрийской библиотеки, разрушенной еще в глубокой древности.

По приказу Ивана Грозного ученые-иностранцы пытались переводить древние рукописи на русский язык. Но, к сожалению, этот уникальный труд не был завершен. В настоящее время местонахождение библиотеки Ивана Грозного является тайной.

Петр I, в свою очередь, продолжил дело Ивана Грозного. Пригласил из Европы множество просвещенных ученых, специалистов, ремесленников, архитекторов и т.д. Более того, молодой царь сам лично отправился за границу инкогнито, чтобы там на месте получить новые знания и овладеть разными ремеслами.

При Петре I была выпущена в свет первая русская газета «Ведомости», создан первый русский музей — Кунсткамера в Санкт-Петербурге.

Петр I сам был образованным человеком, знал несколько языков и того же требовал от своих приближенных.

Император Николай I также был весьма образованным человеком для своего времени и тоже знал несколько языков. Он ратовал за просвещение, открыл множество новых школ. Эпоха Николая считается золотым веком развития русских университетов.

Николай I вызволил из ссылки Пушкина, сосланного Александром I, и разрешил ему работать с одним условием — все написанное поэт был обязан в первую очередь показывать самому императору. Искусство искусством, но порядок превыше всего.

После трагической гибели Пушкина на дуэли в 1837 году Николай I выгнал из армии убийцу поэта — Дантеса — и выслал его из России. Император распорядился, чтобы семья Пушкина никогда и ни в чем не нуждалась, взял под опеку родственников поэта.

После просмотра комедии Николая Гоголя «Ревизор» Николай самокритично заметил: «Всем досталось, а мне в первую очередь».

Внешность, быт и привычки

Внешне все четыре монарха выглядели примерно одинаково и обладали похожими привычками в быту.

Все четверо были рослыми, крепкими, статными мужчинами и обладали огромной физической силой.

В быту все четыре самодержца отличались неприхотливостью.

Александр Македонский наравне со своими воинами переносил все тяготы походной жизни, чем вызывал у подчиненных чувство уважения и гордости. Македонцы искренне любили своего командира и восхищались его простотой и доступностью.

К концу жизни Александр — увы! — сильно изменился, стал по-другому относиться к роскоши, окружил себя азиатской пышностью и великолепием.

Македонцы, возмущаясь, говорили, что теперь к Александру невозможно пробиться сквозь его многочисленную свиту, состоящую в основном из персов, перешедших на службу к царю.

Петр I никогда не чурался грубой физической работы — сам пилил, строгал, работал молотком, строил суда, мебель. Одевался по-простому, не любил пышных одеяний и украшений, так что иностранные послы и купцы не сразу могли определить в толпе русских императора великой державы.

Сохранившийся до наших времен домик Петра Великого в Санкт-Петербурге совсем не похож на дом государя могучей Российской империи. Обычный, ничем не примечательный домик, только трон в одной из комнат напоминает о том, что это все-таки жилище императора.

Николай I вел такую же скромную жизнь. Вот как описывает быт императора баронесса М. П. Фредерикс:

«Был всегда одет, халата у него не существовало никогда, но если ему нездоровилось, что, впрочем, очень редко случалось, то он надевал старенькую шинель.

Спал он на тоненьком тюфячке, набитом сеном...

Вообще вся обстановка, окружавшая его личную интимную жизнь, носила отпечаток скромности и строгой воздержанности. Его величество имел свои покои в верхнем этаже Зимнего дворца, убранство их было не роскошно.

Последние годы он жил внизу, под апартаментами императрицы, куда вела внутренняя лестница. Комната эта была небольшая, стены оклеены простыми бумажными обоями, на стенах — несколько картин».

Если вы когда-нибудь бывали в Санкт-Петербурге в Эрмитаже и своими глазами видели неземное великолепие дворцовых залов, отделанных золотом и драгоценными камнями, то вы сможете достойным образом оценить это упоминание о простых, скромных бумажных обоях.

Николай I любил в одиночестве прогуливаться по улицам Санкт-Петербурга. Мог остановить любого прохожего на улице и поговорить с ним по душам, попростому, по-свойски расспросить, как у него жизнь, как дела, какие проблемы. Мог даже ЛИЧНО помочь крестьянину взвалить на спину тяжелый мешок.

* * *

Петр I, вернувшись из-за границы в Россию, первым делом стал лично стричь бороды своим боярам, желая, чтобы те обликом походили на европейцев, а не на азиатов.

Николай I в свое время тоже издал указ о том, как должны выглядеть его подданные. По этому указу только военные имели право носить усы, а гражданские лица должны были обязательно их сбривать. Усы должны были быть только черного цвета, в ином случае их полагалось перекрашивать в уставной цвет.

Александр Македонский безумно любил своего коня и даже назвал в его честь целый город — Буцефалия.

Николай I также страстно любил лошадей. По его указу в Царском Селе был построен настоящий дом для престарелых лошадей. Коней, которые удостоились чести носить на своей спине членов императорской семьи, холили и лелеяли до самой смерти.

Умерших лошадей хоронили на специальном кладбище, на их могилах ставили мраморные плиты с выбитыми именами жеребцов и кобыл и датами их рождения и смерти. Память о Буцефале в сердце императора не умерла и через две тысячи лет.

Мужество и бесстрашие

Все четыре монарха отличались личным мужеством и бесстрашием.

Александр Македонский лично водил свои отряды в атаку, участвуя в сражении как обычный воин, вдохновляя своей отвагой соратников.

При штурме одной крепости в Индии Александр, заметив, что его воины утратили мужество, чтобы вдохновить македонцев, прыгнул с крепостной стены внутрь крепости прямо на неприятеля.

Некоторое время Александр с тремя прыгнувшими вслед за ним македонскими военачальниками сражался против целой толпы вражеских солдат, пока не подоспела помощь. Александр был ранен в грудь стрелой, рана оказалась настолько серьезной, что стоял вопрос жизни или смерти.

Иван Грозный лично возглавлял русское войско в походах против татар и литовцев, руководил осадой и штурмом Казани.

Петр I также лично командовал войсками во всех важных сражениях — и при Полтаве, и при Нарве, и в Персидском походе и т.д.

В 1831 году в России вспыхнула эпидемия холеры. Ежедневно только в Санкт-Петербурге умирали сотни людей. Возникли слухи, что это диверсия, что поляки специально заражают продукты и воду. (В то время Польша входила в состав Российской империи и поляки периодически поднимали восстания, борясь за свою независимость.)

Разгоряченные этими слухами, простолюдины напали на госпиталь и стали убивать ни в чем не повинных врачей. Градоначальник был вынужден подтянуть на место происшествия войска. Казалось, уже ничто не сможет предотвратить грядущего кровопролития.

И тогда император Николай совершил невероятный поступок. Он в одиночку вышел на площадь к разъяренной толпе и сказал: «Вчера учинены были злодейства, общий порядок был нарушен. Стыдно народу русскому, забыв веру отцов своих, подражать буйству поляков и французов. Они вас подучают. Ловите их, представляйте подозрительных начальству. Здесь учинено злодейство, здесь прогневили мы Бога. На колени, и просите у Всемогущего прощения!

До кого вы добираетесь, кого вы хотите, меня ли? Я никого не страшусь, вот я!»

И Николай указал на свою грудь. Толпа успокоилась, и тысячи человек опустились на колени перед императором. Порядок был восстановлен.

Для сравнения — 9 января 1905 года другой император, Николай II, как известно, в похожей ситуации повел себя далеко не лучшим образом. Тогда народ тоже, возмущенный сложившимися порядками, хотел рассказать императору о своих бедах. Люди шли к Зимнему дворцу с иконами и хоругвями, с петициями и жалобами.

Николай II не стал выходить к народу, а отдал приказ солдатам открыть стрельбу по безоружным людям. Сотни человек были убиты. Этот день вошел в историю под названием «Кровавое воскресенье». С этого дня в России началось вооруженное восстание.

Николаю II в нужный момент не хватило мужественности своего прадеда Николая I. Душа оказалась иной. И произошла трагедия.

Религиозность

Все четыре монарха были глубоко религиозными людьми.

Александр Македонский в разных концах своей обширной империи построил множество храмов, регулярно совершал жертвоприношения.

Иван Грозный за свою жизнь посетил множество монастырей и храмов как паломник. Делал богатые пожертвования монастырям. В Успенском соборе в Московском Кремле до наших дней сохранилось молитвенное место Ивана Грозного — небольшая кабинка, в которой великий царь часами молился Богу.

Петр I основал Александро-Невскую лавру в Санкт-Петербурге. По его указу в эту лавру были перевезены мощи русского святого Александра Невского.

Вся внутренняя политика Николая I строилась по принципу «православие, самодержавие, народность». Народ должен верить в Бога, нет ничего страшнее, чем преступление перед Всевышним, — этот мотив прослеживается во многих речах и выступлениях императора.

Воинственность

Все четыре монарха успешно вели завоевательные войны.

Александр за свою жизнь не потерпел ни одного поражения. Он воевал против греков, фракийцев, иллирийцев, персов, бактров, массагетов, индийцев и всегда и везде одерживал убедительные победы.

Благодаря усилиям Александра всего за несколько лет была создана великая империя от Египта и Греции на западе до Индии и Согдианы на востоке.

При царе Иване Грозном границы русского государства значительно расширились. Были присоединены Казанское и Астраханское ханства — река Волга на всем своем протяжении от истоков до устья стала полностью русской.

При Иване Грозном началось бурное освоение и покорение Сибири. Атаман Ермак по приказу царя разгромил Сибирское ханство хана Кучума, захватив его столицу — город Кашлык.

Спустя два-три года после смерти Ивана Грозного русские основали в Сибири города Тюмень и Тобольск, ставшие важными административными центрами новых завоеванных земель.

Долго, с переменным успехом Иван Грозный воевал на западе и юге против Ливонии, крымских татар, Польско-Литовского государства.

Петр I в годы правления решил те проблемы, с которыми не смог в свое время справиться Иван Грозный. Удивительный случай, когда в новой жизни человек завершил то, что не смог доделать в предыдущей.

Петр Великий сумел завоевать для России выход к Балтийскому морю и основал на берегах реки Невы новую столицу Российской империи — город Санкт-Петербург. «Окно в Европу», о котором так мечтал Иван Грозный, было прорублено.

При Петре I Россия также закрепилась на берегах Азовского и Каспийского морей.

Николай I вел успешные войны против Ирана, Египта и Турции. Подавил революционное восстание в Венгрии, заслужив после этого прозвище «Жандарм всей Европы». В конце жизни Николаю I пришлось защищаться против объединенных сил Англии, Франции и Турции в Крымской войне 1853—1856 годов. Военная кампания складывалась не совсем удачно для России, во время войны император Николай I умер от простуды.

Оценка исторической деятельности

Сам факт, что одного человека Небеса четырежды посылали на Землю и каждый раз давали ему возможность стать правителем могучей державы, говорит о том, что душа нарушала единый Божий завет: «Возлюби ближнего своего, как самого себя».

И каждый раз она вновь забывала о нем и повторяла допущенные ошибки из жизни в жизнь. Но Бог настолько был милостив. что вновь и вновь давал душе возможность прийти и все исправить. И так до девяти кругов проходит душа на Земле, переселяясь то в правителя, то в его раба.

Перед душой Александра Македонского изначально стояла цель — создать передовую, просвещенную для своего времени империю, которая станет для всех остальных государств образцом для подражания.

В 331 году до нашей эры Александр встретился в Египте с оракулом Зевса-Амона в оазисе Сива. Ради этой встречи македонский царь потратил полтора месяца на то, чтобы пересечь Ливийскую пустыню. Пообщавшись с оракулом, Александр вышел к своим приближенным и сказал сгорающим от любопытства соратникам, что «узнал то, чего желало его сердце».

Никому никогда в жизни Александр так и не раскрыл тайны предсказаний оракула. Секрет пророчества царь унес с собой в могилу. Лишь в письме к матери

Олимпиаде, которая жила в Македонии, Александр пообещал, что при встрече расскажет ей о том секрете, который он узнал от оракула. Но через несколько лет царь умер, так и не увидевшись с матерью.

Оракул предсказал Александру, что тот станет властелином мира, но не добавил при этом, что чрезмерная жестокость царя может помешать осуществлению этого пророчества. Оракул просто побоялся гнева полководца.

Александр Великий справился с возложенной на него задачей лишь частично. Он сумел создать империю силой оружия, но не смог сделать своих подданных счастливыми. В первую очередь виной этому стал чрезвычайно непредсказуемый и вспыльчивый характер царя.

Когда Александр приходил в ярость, то гнев застилал ему разум, и в таком состоянии монарх совершал страшные роковые ошибки.

Александр мог стать объединителем греческих городов, создать единое государство эллинов. Но, поддавшись приступу ярости, он отдал приказ разрушить один из греческих городов, Фивы, срыть до основания все городские сооружения, а всех жителей мегаполиса поголовно отдать в рабство.

За этот жестокий поступок все греки стали люто ненавидеть и проклинать Александра. Из отца нации он превратился в тирана народа.

К концу жизни вспыльчивость и высокомерие прославленного полководца оттолкнули от него даже самых близких друзей. Александр по малейшему поводу мог вспылить. Во время одного пиршества в приступе ярости он убил своего ближайшего друга военачальника Клита, который в бою когда-то спас ему жизнь.

У греков, македонцев и персов вызывали недоумение попытки Александра объявить себя божеством. Данис из Спарты с иронией прокомментировал эту новость: «Если Александр хочет считаться богом, пусть считается».

Александр был по своей природе глубоко воинственным человеком, любые проблемы он пытался решить с помощью оружия. Это был неверный подход.

После смерти Александра вся его обширная империя тут же распалась на множество более мелких государств. Мать, жена и сын великого царя были убиты.

Не смог прославленный полководец создать крепкую державу, не оставил после себя достойного преемника, не организовал надежную систему власти и управления.

Хороший полководец не смог стать хорошим правителем. Поэтому после смерти душа Александра Македонского попала лишь на пятый уровень Чистилища.

В следующий раз душа Александра вернулась на Землю лишь через восемнадцать с половиной веков — в 1530 году у великого князя всея Руси Василия III родился сын Иоанн, вошедший потом в историю под именем Ивана Грозного.

Память о прошлом жила в подсознании русского царя. Теперь он знал, что страну надо крепить не только силой оружия, но и с помощью реформ и нужных преобразований.

Иван Грозный провел множество необходимых реформ — создал новую административную систему управления страной с помощью специальных органов — приказов, покончив с существовавшим ранее хаосом и беспределом местных властей. Именно при Иване Грозном значительно укрепилась центральная власть.

Иван IV первым из русских князей принял титул «царь», после него так стали называть всех следующих правителей России.

Первый русский царь провел в стране судебную реформу, составив свод русских законов, которые должны были защищать простых людей от произвола местных властей.

Он значительно облегчил жизнь простых людей и приложил много усилий для борьбы с произволом бояр. С ненавистными боярами Иван Грозный боролся с помощью опричнины — специальных отрядов преданных ему лично людей.

В летописях сохранилось немало свидетельств о том, какими зверскими методами опричники выполняли волю государя. Сразу надо заметить, что не всему написанному можно верить. Летописцы были людьми пристрастными, многое преподносили в умышленно искаженном свете. Многие деяния Ивана Грозного были очернены после смерти царя.

Да, были казни, и в некоторых случаях Иван Грозный, как и Александр Великий, лично казнил виноватых, но масштабы опричнины все-таки сильно преувеличены. Даже в наше время трудно определить точное число жертв опричнины — одни исследователи считают, что за несколько лет было казнено 3—4 тысячи человек, другие полагают, что речь идет о десятках и даже сотнях тысяч жертв.

Ангелы указали нам, что по приказу самого царя было казнено 800 человек, остальные казни происходили уже без его ведома на местах, но все списывалось на указ царя. Так было раньше и так бывает в наше время, на местах любой указ сверху могут так извратить, что в центре начальству приходится просто хвататься за голову.

И вот от этой беспредельщины в России погибло около пятнадцати тысяч человек.

Для сравнения — в эпоху Ивана Грозного во Франции было вырезано католиками 20 000 гугенотов. Только во время печально знаменитой Варфоломеевской ночи в 1572 году в Париже было убито 8500 человек.

И это происходило в центре просвещенной Европы!

Не надо забывать, что царя Ивана окружали далеко не ангелы. Действительно, вокруг было много предателей и изменников, на Русское царство постоянно нападали враги со всех сторон: казанские татары — с востока, крымские татары — с юга, поляки и литовцы — с запада, ливонцы и шведы — с севера.

Но факт остается фактом — именно при Иване Грозном Русь стали считать сильным государством. Русь из мелкого княжества, раздираемого на части своевольными боярами, превратилась в могучее царство с крепкой единой центральной властью.

Образ Ивана IV был сильно искажен после его смерти политическими врагами. Кстати, при жизни Ивана никто не называл Грозным, это прозвище было присвоено ему гораздо позже. В жизни царь был гораздо менее кровожадным, чем это описывается в летописях, подчищенных и исправленных боярами.

Для сравнения обратный пример — в нашей стране тоже долгое время царил культ Ленина, был создан образ доброго дедушки, любящего детей и всех людей. И лишь относительно недавно открылось подлинное лицо этого «доброго человека», который собственноручно подписывал приказы о смертной казни для тысяч и тысяч ни в чем не повинных сограждан.

Кстати, первые концлагеря для советских людей были созданы по указу Ленина. Сталин, как верный ученик, лишь развил идею своего учителя.

Иван IV сумел вопреки всему сохранить и укрепить Русское государство. После смерти душа Ивана Грозного попала на шестой уровень Рая. С точки зрения Небес, Иван IV прожил жизнь намного правильнее, чем Александр Македонский.

Именно поэтому душа Ивана Грозного вновь вернулась на Землю очень скоро — всего через 88 лет. В 1672 году родился Петр I. Уникальный случай — Небеса позволили человеку вернуться на Землю на то же самое место и на ту же самую должность, повелев ему завершить все то, что он не доделал в прошлой своей жизни.

Петр Великий с удвоенной энергией продолжил дело укрепления России. Он сотворил немыслимое — реформировал всю жизнь русского общества, перестроил державу на европейский лад. При Петре I Россия стала великой империей, с ней отныне считались все ведущие государства мира.

После смерти душа Петра I вновь попала на шестой уровень Рая, для того чтобы всего через 71 год вновь вернуться на Землю в ту же страну и на ту же должность, чтобы завершить все недоделанные в прошлой жизни дела. Настоящее чудо!

Но XIX век коренным образом отличался от XVIII века. Николаю I пришлось решать несколько иные задачи, чем в свое время Петру I и Ивану IV.

Российская империя была теперь самым крупным государством в мире. Никто напрямую уже не угрожал России. Необходимость в войнах отпала, теперь на повестке дня стоял совсем другой вопрос: как улучшить жизнь подданных, какие реформы и преобразования необходимо для этого провести?

Николай I, как и в предыдущих жизнях, был человеком военным до мозга костей. Но империя — это не казарма, одними наказаниями порядок не наведешь. Здесь требовалась не решительность полководца, а мудрость и гибкость дипломата. Создать условия для быстрого развития промышленности и сельского хозяйства — это совсем не то, что строить новые корабли и воспитывать дремучих бояр. Отрезать бороды и вводить моду на европейскую одежду легко, а как заставить людей думать по-европейски?

Главная проблема, с которой столкнулся Николай I, — как отменить крепостное право таким образом, чтобы не подорвать могущество империи. Император понимал, что что-то делать надо, он неоднократно заявлял: «Крепостное право — это зло, но изменять что-либо в данный момент — зло еще большее... Крепостное право необходимо отменить сверху, пока оно само себя не отменит снизу».

В то время в России жило примерно пятьдесят миллионов человек, из них сорок пять миллионов были крепостными, фактически рабами.

Николай I считал, что отмена крепостничества должна быть постепенной, каждый шаг надо всесторонне обдумывать и взвешивать. Для начала он запретил дворянам при продаже крепостных разлучать семьи. До этого нередки были случаи, когда мужа продавали одному хозяину, жену — другому, детей — третьему. Отныне это было запрещено.

Но дальше этого реформы не пошли. Николай I говорил: «Три раза подступался я к крепостному праву, три раза я вынужден был отказаться. Очевидно, что на то воля Божья».

Крепостное право было отменено позже, в 1861 году, сыном Николая I — Александром II. Реформа была проведена не совсем удачно, из-за чего в России произошел сильный рост революционного движения. Десятки тысяч взбунтовавшихся крестьян пришлось успокаивать с помощью войск.

Опасения Николая I были не напрасны.

В николаевскую эпоху в свободной Европе творилось нечто невероятное — то в одном государстве, то в другом вспыхивали одна революция за другой.

Николай, так же как и Александр Македонский, Иван Грозный и Петр I, был горячим приверженцем самодержавия, и любые разговоры о демократии вызывали в нем ярость и возмущение. Власть государю дается Свыше, любое преступление против императора — это грех перед Богом.

Ничто не стоит на месте — все меняется. Николай, конечно, во многом сильно отличался от своих предшественников, он, к примеру, уже никого не казнил лично, стал более сдержанным в быту — не устраивал буйных попоек и пиршеств, почти научился контролировать свой гнев.

Но многое, оставшееся в его характере из прошлого, мешало ему в этой жизни. Это Петр I мог позволить себе вникать в каждую мелочь в государственных делах, лично присутствовать при постройке чуть ли не каждого нового корабля и открытии каждой новой мануфактуры в стране. Николай правил совсем другой империей, несравненно большей и могущественной, поэтому здесь нужно было действовать совсем другими методами.

Николай I сумел сохранить порядок в стране, не допустил революционной смуты, но при этом не провел долгожданных реформ. После смерти душа Николая I попала на четвертый уровень Рая.

Как именно Иван Грозный убил своего сына

Еще один момент — из летописей все знают, что Иван Грозный в припадке гнева убил своего любимого сына и горько потом раскаивался в этом поступке. На самом деле это было не убийство, а несчастный случай.

Царь Иван был обеспокоен мягкостью характера своего сына. Зная, что после него останется в наследство страна, которой сложно управлять, и что с этим может справиться только монарх с железной волей, он начал учить сына боевому искусству, чтобы тот мог сам постоять за себя, если потребуется сохранить престол от желающих его завоевать.

Однажды Иван Грозный с сыном бросали в мишень дротики — короткие копья. Вдруг неожиданно рука царя дрогнула и он совершенно случайно дротиком попал сыну в голову. От полученной раны тот скончался.

В летописях этот несчастный случай был представлен в извращенном виде — дескать, если царь, совсем обезумев от ярости, не пожалел даже своего родного сына, то что уж тут говорить о простых боярах. Царь — сумасшедший зверь, себя не контролирует. Понятно, кому была на руку такая оценка деятельности самодержца.

В жизни Петра I повторилась та же самая трагедия, что и в жизни Ивана Грозного, — ему пришлось стать виновником смерти своего собственного сына.

Царевич Алексей оказался замешанным в заговор против своего отца. Петр, узнав об измене сына, распорядился провести дознание с применением пыток. Во время пыток царевич Алексей скончался.

Доброта и жестокость

Нельзя сказать, что все четыре монарха были патологически жестокими людьми. В душе у каждого из них таилось немало доброты и милосердия.

Александр Македонский часто отпускал на волю пленных солдат неприятеля, прощал многие прегрешения врагам своим. И Иван Грозный, и Петр I, и Николай I могли одарить неслыханной милостью любого виноватого.

К сожалению, находясь у власти, правитель не может всегда пребывать в благодушном настроении. Он вынужден держать в страхе свой народ. У всех четырех монархов периодически были приступы депрессии, когда они, предав смерти кого-нибудь из своих врагов, потом горько жалели об этом, раскаивались, понимая при этом, что иначе поступить было невозможно.

На людях правители избегали показывать такое проявление чувств. Приближенные видели только внешнюю часть жизни монархов. Своим сокровенным властелины мира делились только с самыми близкими людьми, которым они полностью доверяли в течение всей жизни.

Александр Македонский иногда делился наболевшим со своим верным оруженосцем, Иван Грозный изливал душу девице Марии, Петр I становился самим собой только наедине со своим соратником Александром Меньшиковым, Николай I откровенничал со своей женой.

Смерть

Любопытная деталь — все четыре монарха ушли из жизни внезапно.

Александр Македонский в 33 года скоропостижно скончался от непонятной болезни, похожей на простуду или малярию.

Иван Грозный в 54 года внезапно умер от странной болезни — его тело как будто начало гнить изнутри.

Петр I ушел из жизни неожиданно в 53 года, и тоже причиной смерти послужила непонятная болезнь.

Николай I в 59 лет простудился и через два дня скончался, его скорая смерть вызвала всеобщее удивление.

Небеса каждый раз забирали душу неожиданно и внезапно, всегда причиной скоропостижной смерти была болезнь.

Нынешним благополучием и могуществом наша страна во многом обязана этому человеку, который трижды правил нашим государством.

Следующий пример — противоположного толка: этот человек дважды руководил крупнейшими мировыми империями. Оба раза это правление было признано неудачным.

Наполеон Бонапарт — Иосиф Сталин

Наполеон Бонапарт
(1769—1821)
Французский император.

Сталин Иосиф Виссарионович
(1879—1953)
Руководитель Советского Союза.

Еще один великий человек, дважды оставивший яркий след в мировой истории. В жизни этих двух выдающихся общественных деятелей удивительно много совпадений как в мелочах, так и в главных моментах.

Детство, потеря отцов

Наполеон родился в городе Аяччо на острове Корсика — глухой окраине Франции — в семье небогатого адвоката.

Сталин родился в селе Гори в Грузии — далекой окраине Российской империи — в семье бедного сапожника.

Оба очень рано потеряли своих отцов, оба воспитывались любящими матерями, которые не жалели сил для того, чтобы обеспечить своим детям хорошую жизнь. И Наполеон, и Сталин до конца своих дней относились к своим матерям с любовью и нежностью.

Оба в молодости писали стихи и рассказы. Особыми литературными достоинствами эти произведения не обладали. И Сталин, и Наполеон впоследствии, став знаменитыми, этот факт своей биографии особо не афишировали — оба не хотели заострять внимание на своих юношеских романтических художествах.

Ни Наполеон, ни Сталин, став главами государств, не стали приближать к себе друзей детства и юности, отношения с бывшими сверстниками поддерживали, но высоких должностей им не предлагали.

Внешность, характер, образование

В молодости оба диктатора выглядели одинаково — невысокий рост, смуглая кожа, не слишком привлекательное лицо, худощавая фигура.

Но зато оба обладали каким-то пронзительным, магнетическим взглядом, который заставлял сверстников чувствовать себя неуютно. У Наполеона и у Сталина умение повелевать людьми, внушать всем страх было просто в крови с самого детства.

Оба смотрели на окружающих дерзко и без уважения, имели склонность к дракам, организовывали вокруг себя более сильных и наказывали своих обидчиков. Оба были взрослыми не по годам, уверены в своем превосходстве.

Корсиканец Бонапарт говорил по-французски с заметным акцентом, коверкая слова до неузнаваемости. Грузин Иосиф говорил по-русски с ярко выраженным акцентом. Оба внутренне сильно страдали из-за этого.

Ни Наполеон, ни Сталин не были выдающимися ораторами, оба говорили относительно тихо, делая долгие паузы между словами.

Для сравнения — из Гитлера словесный поток лился без перерыва с нарастающей громкостью. Гитлер за трибуной заводился сам и заводил публику, к концу выступления фюрер все сильнее и сильнее размахивал руками, впадая под конец в настоящую истерику и вводя в подобное состояние всех своих слушателей.

Наполеон и Сталин во время публичных выступлений никогда не жестикулировали, держась ровно и спокойно, говорили медленно, как бы подбирая слова.

Оба в детстве учились великолепно, считались лучшими учениками в своих училищах, любили много читать. У Сталина в библиотеке было 80 000 книг.

* * *

Оба великих диктатора обладали феноменальной памятью. Они с легкостью запоминали невероятное количество самых разных фактов и мелких деталей, знали в лицо и по имени множество человек.

Наполеон помнил почти всех офицеров и даже солдат, служивших с ним ранее в разных армиях. При этом император мог назвать не только имя солдата, но и полк или даже батальон, в котором тому довелось служить.

Сталин хорошо помнил всех руководителей самых разных уровней, мельчайшие подробности их биографий и личной жизни. Мог, увидев человека, вспомнить, где, когда и при каких обстоятельствах они встречались много лет тому назад. Помнил о том, сколько у кого детей и как их зовут.

Оба диктатора отличались невероятной работоспособностью, которой по праву весьма гордились.

Наполеон спал не более четырех-пяти часов в сутки, очень рано вставал и тут же принимался за работу.

Сталин не выходил из своего рабочего кабинета сутками. Он работал допоздна и мог в любой момент позвонить любому своему подчиненному, чтобы получить от того нужную справку или информацию.

Зная об этом, многие начальники разных уровней старались задерживаться на своих рабочих местах подольше, чтобы внезапный звонок главы государства не застал их врасплох.

И Наполеон, и Сталин с большим уважением относились к ученым, стараясь по возможности создать для

95

них идеальные условия для работы и жизни. Умный человек, хорошо знающий свое дело, специалист мог сделать головокружительную карьеру при обоих диктаторах.

Наполеону почему-то не давались танцы. Он всегда неуклюже толкал свою партнершу, наступал ей на ноги, никак не мог уловить ритма и попасть в такт музыки. Наполеон любил танцевать, даже брал специальные уроки, но все было безрезультатно.

Такое же отношение к танцам было и у Сталина. Он старательно избегал ситуаций, в которых он будет выглядеть смешно и нелепо. На публике диктатор никогда не демонстрировал свое искусство танцора. Но иногда, оставшись наедине в своем кабинете, он в минуты хорошего настроения танцевал в одиночку, мягко кружась по комнате.

Оба с некоторой нелюбовью относились к своим малым родинам. Сталин говорил о ней: «Маленькая часть России, называющая себя Грузией».

Наполеон, став офицером оккупационной французской армии, доказывал своим землякам, что для Корсики большая честь быть покоренной Францией. Местные патриоты не любили за это Бонапарта, он отвечал им такой же ненавистью.

И Наполеон, и Сталин обладали беспримерным мужеством. Наполеон во время битв неоднократно рисковал жизнью, лез под пули, вдохновляя своих солдат на подвиги.

В молодые годы Сталин организовывал вооруженные революционные теракты и, рискуя жизнью, лично участвовал в рискованных операциях.

Показная скромность

Наполеон в начале своей карьеры одевался подчеркнуто скромно, демонстрируя всем солдатам свою неприхотливость и презрение к роскоши. В отличие от других генералов и военачальников не стремился всеми силами наполнить свой карман деньгами, помня о том, что репутация превыше всего.

Взобравшись на вершину власти, Наполеон провозгласил себя императором. Он стал обладателем несметных богатств, но к своим солдатам Наполеон по-прежнему выходил в простом военном мундире.

Иосиф Сталин повторил опыт предшественника, всегда показываясь на публике в скромном полувоенном френче, и лишь иногда облачался в белый мундир. Императором себя провозглашать не стал, но от почетного звания «генералиссимус» не отказался.

Это внешняя сторона медали. У себя во дворцах, вдали от глаз простого народа и тот и другой закатывали воистину царские пиры для своего окружения.

При этом оба смиренно называли себя «слугами народа».

Подозрительность и беспощадность

Оба правителя отличались подозрительностью и беспощадностью к своим врагам.

Наполеон как-то сказал: «Во мне живут два различных человека: человек головы и человек сердца. Не думайте, что у меня нет чувствительного сердца, как у других людей. Я даже довольно добрый человек. Но с ранней моей юности я старался заставить молчать эту струну, которая теперь не издает у меня уже никакого звука».

Сталин был до невероятности мстительным и злопамятным человеком. Став диктатором, он свел счеты со всеми своими «обидчиками» — кого-то расстреляли, кого-то сослали. Припомнил абсолютно все, начиная с детских обид.

Любопытная деталь — Наполеон родился на Корсике, где процветала вендетта — обычай кровной мести обидчику. И Сталин родился на Кавказе, где кровная месть — неписаный закон для мужчин, обязательный к исполнению.

Кровь обоих диктаторов нисколько не пугала.

Во время мятежа в Париже Наполеон приказал выкатить пушки на улицы города и прямой наводкой стрелять по живым людям. Никто ранее не применял такой способ усмирения толпы. Пальба из пушек по городским улицам — это изобретение Наполеона.

Сталин тоже не колебался, когда речь шла о человеческих жизнях. По его прямым приказам были расстреляны тысячи и тысячи человек в годы террора.

Отношение к царизму

Оба с детства негативно относились к царской власти, провозглашали революционные идеи. Оба, придя к власти на волне революций, в результате дворцовых интриг постепенно превратились в самых настоящих монархов, обладающих абсолютной властью.

Ни Наполеона, ни Сталина в начале их карьеры никто не воспринимал всерьез, считая их серыми, невзрачными личностями. Наполеона дразнили «замухрышкой», «военным из прихожей».

Никому и в голову не приходило, что эти двое вскоре смогут добиться таких немыслимых высот.

Придя к власти, оба диктатора, наверстывая упущенное, отнеслись благосклонно к созданию собственных культов личностей, не пытаясь каким-нибудь образом ограничить поток славословий, похвал и лести в собственный адрес.

Наполеон не принимал активного участия в Великой французской революции 1793 года, но успешно воспользовался ее плодами. Как это обычно бывает, все организаторы и выдающиеся деятели революции в дальнейшем перегрызлись между собой, и пока они были заняты выяснением отношений друг с другом, Наполеон постепенно прибрал власть к своим рукам.

Когда все опомнились, было уже поздно. Никто и не заметил, как демократия, ради которой революционеры проливали свою кровь, была задушена на корню человеком, чье имя в дни штурма Бастилии никому ничего не говорило. Франция оказалась в руках кровавого диктатора.

Абсолютно такая же история произошла в России спустя сто с лишним лет. Сталин не принимал активного участия в Великой Октябрьской социалистическо революции, его имя мало кто знал в те дни, когда революционные солдаты и матросы захватывали Зимний дворец.

После смерти Ленина организаторы революции выясняли отношения друг с другом, стараясь выделиться своими заслугами. Никто не обращал особого внимания на незаметного, тихого грузина. Когда наконец обратили внимание — было уже поздно, вся власть в стране принадлежала Иосифу Сталину. Он не стал, как Наполеон, объявлять себя императором, но власти в его руках было не менее, чем у прославленного француза.

Став главой государства, пламенный революционер Иосиф Сталин начал говорить немыслимое: «Народу нужен царь, тот, кому люди смогут поклоняться, во имя кого жить и работать».

Странно — а во имя чего же тогда страдали и мучились тысячи и тысячи революционеров, отдавших свои жизни в борьбе с ненавистным царизмом? Для того чтобы на место одного монарха поставить другого? Чтобы их вчерашний соратник, которому они верили как Богу и под чьим руководством они хотели построить светлое будущее, свободное и прогрессивное, в один прекрасный день сказал им прямо в лицо: «Учтите, веками народ в России был под царем, русский народ привык, чтобы во главе был кто-то один».

На самом деле Сталин никогда не был настоящим революционером, так же как и Наполеон. Ими двигала и руководила лишь одна страсть — жажда власти. Оба боролись с монархией лишь для того, чтобы после победы самим стать абсолютными властителями, занять трон и удовлетворить свое потаенное желание.

Власть — вот все, что им надо было. Ради достижения этой цели они были готовы пойти на все — на убийство, на предательство, на обман, на жестокость. Нет ничего такого, чего они не принесли в жертву своему тщеславию.

Сталин, заняв место расстрелянного императора Николая II, постепенно начал возвращать назад некоторые реалии царского времени: в армии сменились знаки отличия — комиссарские кубики были заменены на погоны, похожие на те, что носили когда-то в царской армии, высшим командным чинам вернули красные лампасы, наркоматы были переименованы в министерства, высший орган управления Вооруженными Силами был назван Ставкой Главного командования, как при царе Николае II.

Вышел фильм «Иван Грозный», в котором царь впервые был показан как достаточно положительный персонаж. Из исправленных учебников истории советские граждане могли узнать, что, оказывается, не все цари были душегубами и кровопийцами. Бывали и хорошие монархи, настоящие отцы нации, такие как Петр I и Иван Грозный.

Иосиф Сталин очень любил пьесу Михаила Булгакова «Дни Турбиных», неоднократно смотрел ее в театре. Эта пьеса воспевала белое офицерство, но Сталина это нисколько не коробило.

В Большом театре заново поставили любимую оперу царей Романовых — «Жизнь за царя» Глинки. Опере все же заменили название — «Иван Сусанин».

Сталин постепенно превратился в красного монарха.

Точно такими же методами действовал и Наполеон. Провозгласив себя императором, Бонапарт начал постепенно возвращать обратно все реалии королевского двора — ближайшие соратники Наполеона получили звания графов и князей. Естественно, с оговоркой, что новое дворянство — это совсем не то, что старое дворянство.

В моду снова стали входить роскошь, богатые праздничные наряды, драгоценности. Человеку, попавшему на бал во дворец к императору, могло показаться, что никакой революции во Франции и не было. Снова монарх, разряженные придворные, великосветские манеры, интриги, все как при казненном Людовике!

Сталин и наследие Наполеона

Сталин с особым вниманием читал мемуары Наполеона, подчеркивая карандашом наиболее понравившиеся места. Он тщательно изучил опыт предшественника, стараясь не повторить его ошибок.

Строки из воспоминаний Наполеона: «...я уверовал в себя как в необыкновенного человека и проникся честолюбием для совершения великих дел, которые до сих пор представлялись мне фантазией...» — вызвали у Сталина ощущение, что это его собственная мысль.

Сталин с подчеркнутым уважением относился к французскому императору, считая того величайшим человеком. Во время Великой Отечественной войны Сталин, сравнивая Гитлера и Наполеона, сказал: «Гитлер против Наполеона, как козел против льва!»

Отношение к религии

Оба не верили в Бога, но в трудную минуту всегда готовы были использовать религию в собственных целях.

Наполеон, не таясь, со всем цинизмом признался однажды: «Представившись католиком, я мог окончить вандейскую войну; представившись мусульманином, я укрепился в Египте, а представившись ультрамонтаном (иезуитом), я привлек на свою сторону итальянских патеров. Если бы мне нужно было управлять еврейским народом, то я восстановил бы храм Соломона».

Сталин репрессировал почти все духовенство в стране, отдал приказ о разрушении тысяч церквей и храмов по всему СССР, в том числе и храма Христа Спасителя в Москве. К 1943 году — окончанию «пятилетки безбожия» — Сталин планировал полностью покончить с религией — закрыть последний храм и уничтожить последнего священника.

Когда в 1941 году фашисты подступили к Москве, Илии, митрополиту гор Ливанских, было видение — ему явилась Богородица и сказала, как избежать беды: «Должны быть открыты по всей стране храмы и духовные монастыри. Священники должны быть возвращены из тюрем. Ленинград не сдавать, но обнести город Святой иконой Казанской Божьей Матери. Потом икону везти в Москву и совершить там молебен и далее везти ее в Сталинград».

Сталин выполнил все эти указания — и произошло чудо. Немцы так и не смогли взять ни Москву, ни Ленинград, ни Сталинград, хотя подошли к окраинам всех трех городов. Богородица-заступница уберегла, спасла Россию.

Сталин вспомнил о Боге лишь в самый последний момент, когда трагедия, казалось, была уже неминуемой.

Историческая оценка

Наполеон упустил уникальный шанс стать народным героем всей Европы. В конце XVIII века Франция была одной из немногих стран в мире, в которой власть принадлежала не монарху, а народу. Все остальные народы Европы с восхищением смотрели на Францию, Наполеон был кумиром миллионов, его считали героем, освободителем, который мог подарить человечеству новую жизнь.

Когда Наполеон со своей армией шел походом по Италии, то местные жители забрасывали солдат цветами и кричали: «Слава освободителям!» Наполеон легко побеждал всех европейских монархов, потому что сами Небеса помогали ему одерживать удивительные победы над своими врагами.

Но потом произошло ужасное. Революционер Наполеон не смог побороть свое тщеславие и свою гордыню, он решил провозгласить себя императором, вкусить сладость абсолютной власти над людьми.

Насмешка судьбы — в молодости Наполеон сделал себе на груди татуировку «Смерть королям и тиранам!». Теперь эту татуировку приходилось прятать под роскошной императорской мантией.

Став императором, Наполеон предал себя, своих соратников, свой народ и своих Ангелов-Хранителей. Ему пришлось отказаться от революционных лозунгов. Теперь он думал не о том, как дать простым людям свободу, а только о том, как бы сильнее закабалить народы.

Из освободителя Наполеон превратился в захватчика. Он побеждал других королей для того, чтобы на их место поставить королями своих родственников. По всей Европе начались массовые народные восстания, Наполеона проклинали на всех языках, называя «узурпатором и диктатором».

Счастливая звезда великого полководца начала постепенно меркнуть, пока совсем не погасла. В конце концов Наполеон потерял все, что имел. И закончил свою жизнь в печальном одиночестве на далеком острове Святой Елены в Атлантическом океане.

Путь от всенародной любви и обожания до одиночества на глухом острове был пройден всего за несколько лет. Небеса отвернулись от своего любимца, который не оправдал Их доверия.

После смерти душа Наполеона ушла на третий уровень Чистилища.

В следующей жизни Иосиф Сталин повторил ошибку Наполеона. Когда в 1945 году советские войска освобождали Восточную Европу от фашистских захватчиков, то поляки, болгары, венгры, чехи, словаки, румыны и другие народы встречали своих спасителей цветами, хлебом и солью.

Сталин их обманул, он так и не подарил им свободу. Немецкие оккупанты сменились на советских. Через несколько лет те же самые люди, которые славили Сталина-освободителя, проклинали Сталина-захватчика.

И для своей собственной страны Сталин из «отца нации» постепенно превратился в палача нации. Бесконечные репрессии, ссылки и расстрелы довели простых людей до озлобления и страха. Царила атмосфера всеобщего подозрения, родители не доверяли своим детям, супруги опасались друг друга, предательства можно было ожидать от самых близких друзей.

До сих пор ученые не могут определить точное **число** людей, пострадавших от сталинского режима.

Ангелы-Хранители сказали, что от правления диктатора в общей сложности пострадало 44 миллиона человек. Сюда входят не только прямые потери, но и косвенные.

Например, отца семейства расстреливали, обвинив в том, что он «враг народа». Малолетние дети «преступника», оставшись без кормильца, через некоторое время умирали с голоду. В их смерти, естественно, виноватым становится Сталин. Хотя многие говорили: «При чем здесь Сталин? Ведь это не он нас сдал и не он лично сослал в лагеря». Конечно, это так, но Сталин был правителем, и, значит, смерть невинных лежит тяжелым грузом на его плечах.

После смерти душа диктатора попала на второй уровень Чистилища, еще ниже, чем душа Наполеона в свое время.

Иногда историки сравнивают Сталина с Иваном Грозным и Петром I, ставя их как бы на одну ступень. Дескать, все трое немало людей положили в сырую землю, но это было сделано для процветания страны, на благо Родины!

Во-первых, количество погибших во времена Ивана Грозного и Петра Великого значительно преувеличено.

Во-вторых, во времена сталинского террора погибло огромное количество абсолютно НЕВИННЫХ людей!

Была дана команда «Смерть врагам народа!», и по всей стране люди стали элементарно сводить счеты друг с другом. К примеру, завистливый человек мог написать донос на своего более благополучного соседа, и последнего на основании этого доноса могли сослать на десять лет в лагеря или даже расстрелять.

Любого человека могли обвинить в чем угодно. Неграмотную уборщицу могли арестовать как агента японской разведки, интеллигентнейший профессор мог оказаться «террористом и кровавым убийцей» и т.д.

Бывали случаи, что люди отправляли в лагеря своих соседей только для того, чтобы занять освободившуюся жилплощадь. Ссора на московской коммунальной кухне могла окончиться для кого-нибудь из ее участников лесоповалом на Колыме.

И таких пострадавших были десятки миллионов человек! Беда пришла практически в каждую советскую семью. Почти у каждого был репрессирован родственник, близкий или дальний, друг, знакомый или сослуживец. Любой знал, что следующей жертвой может стать он сам.

Если на одну чашу весов положить все достижения Сталина, все то, что он сделал для блага нашей Родины, а на другую положить все то горе, что он принес простым людям, то вторая чаша ЗНАЧИТЕЛЬНО перевесит первую.

* * *

Был ли Сталин психически здоровым человеком, не страдал ли он шизофренией и паранойей?

Да, полностью здоровым человеком его нельзя было назвать. Периодически болезнь то обострялась, то отступала.

Иосиф Сталин последние годы жизни беспрестанно болел.

Как был убит Сталин

Иосиф Виссарионович был очень больным и старым человеком, перенесшим два инсульта. Жить ему оставалось немного, от силы несколько месяцев.

Но никто не собирался дарить ему эти лишние месяцы жизни. Как только Сталин ослаб, тут же возникла угроза физического устранения главы Советского Союза.

Перед смертью Сталин хотел уничтожить Лаврентия Берию, как когда-то он расправился с его предшественниками на посту главы НКВД — с Ягодой и Ежовым.

Берия об этом, естественно, догадывался. Он понимал, что единственный шанс остаться в живых — это нанести удар первым.

В ночь на 1 марта 1953 года на даче в Кунцево Сталин принял Берию, Хрущева, Булганина и Маленкова. Сталин чувствовал себя неплохо. Гости пили молодое виноградное вино, слабое по крепости. Поэтому Сталин называл его соком.

В пятом часу утра гости разъехались.

Вместе со Сталиным гостей провожал один из его охранников — Иван Хрусталев. После ухода гостей Хрусталев вышел к другим охранникам и произнес загадочную фразу: «Ну, ребята, никогда такого распоряжения не было. Хозяин сказал, чтобы мы все ложились спать. Ему ничего не надо. Он сейчас ляжет спать, и никто из охраны ему сегодня не понадобится».

Действительно, НИКОГДА раньше Сталин таких приказов не отдавал. Напротив, он всегда требовал от охраны повышенной бдительности. Ему везде чудились заговоры и наемные убийцы.

И опасения диктатора были не напрасны. Случилось именно то, чего он так всю жизнь опасался. Хрусталев, оставшись наедине со Сталиным, вколол спящему Хозяину сильнодействующий препарат, вызывающий мгновенный паралич у жертвы.

Утром Хрусталев сменился. Сталина никто не беспокоил, без особого приказа в его кабинет было запрещено даже входить. Лишь в полседьмого утра охранник Лозгачев обнаружил, что парализованный Сталин лежит на полу без движения.

5 марта 1953 года Сталин умер.

В последние дни перед смертью у него начались видения. Ему еще живому, но парализованному показали загробный мир, Ангелов, Бога. Последними словами Сталина, сказанными за мгновение до смерти, были: «А все-таки Бог существует!»

Но окружающие не смогли услышать этих слов. Они лишь заметили, как Сталин, приподняв левую руку, ткнул ею куда-то вверх и что-то попытался при этом прохрипеть.

Сидевшая рядом с постелью Светлана Аллилуева — дочь Сталина — разобрала лишь одно-единственное слово: «Бог».

Как был убит Наполеон

Наполеон умер в 1821 году в ссылке на острове Святой Елены в возрасте 52 лет от язвы желудка, переродившейся в рак. Так написано в акте о вскрытии тела умершего императора.

Эта версия гибели Наполеона была поставлена под сомнение медиками. Дело в том, что все люди, больные раком, начинают стремительно худеть. У умершего же Наполеона на животе находился пятисантиметровый слой жира.

До наших дней сохранилось несколько прядей подлинных волос императора. Исследование показало, что в этих волосах находится повышенное содержание мышьяка. Наполеон был отравлен мышьяком.

И Наполеон, и Сталин были убиты с помощью ядовитых препаратов, смерть обоих вначале выглядела как естественная гибель от болезни. Смерть обоих породила множество версий, загадок и предположений.

История вновь повторилась.

Что произошло с Наполеоном в египетской пирамиде

В 1798 году Наполеон, находясь в Египте, через узкий лаз проник внутрь знаменитой пирамиды в Гизе. В одной из внутренних комнат пирамиды он провел некоторое время в полном одиночестве и затем вышел оттуда с совершенно бледным лицом.

На все расспросы о том, что же произошло, Наполеон упорно отмалчивался и за всю свою жизнь ни разу никому не сказал, что случилось с ним на самом деле.

Что же там произошло?

В этой таинственной комнате Наполеону было видение — неожиданно появившийся дух пирамиды стал рассказывать будущему императору Франции о том, что его ждет впереди: «Ты завоюешь полмира, но конец твой будет ужасный и бесславный. Твоя погибель кроется на Востоке. Если ты пойдешь войной на Восток, то ты потеряешь все, чего ты добился».

Наполеону в то время было 29 лет, и он даже не знал, как относиться к этому непонятному пророчеству. Слова «бесславный и ужасный конец» его сильно напугали.

На всякий случай он решил не придавать большого значения этому предсказанию и постараться побыстрее забыть о нем.

В 1812 году, отступая из России во главе своей разгромленной армии, Наполеон вспомнил о том давнем пророчестве. До него только сейчас дошло, от чего именно его предостерегал неведомый дух пирамиды. Ах, если бы он не отмахнулся тогда от этого предупреждения!

Но уже ничего нельзя было сделать, нельзя было вернуть все обратно. Позже, находясь в изгнании на острове Святой Елены, Наполеон напишет в своих мемуарах: «Самая главная ошибка в моей жизни — это поход против России».

Калигула — Ленин

**Калигула
(12—41)**
Римский император.

**Ленин Владимир Ильич
(1870—1924)**
Диктатор, глава российского государства.

Оба правителя отличались кровожадностью и невероятной жестокостью, причем первые признаки столь явного отклонения в психике проявились у обоих еще в раннем детстве.

Вот что римский историк Светоний пишет о детских годах жизни Гая Калигулы: «Однако уже тогда не мог он обуздать свою природную свирепость и порочность... Проницательный старик (император Тиберий) видел его насквозь и не раз предсказывал, что Гай живет на погибель и себе и всем...»

Спустя почти две тысячи лет лютый нрав императора проявился в маленьком мальчике Владимире Ульянове. По воспоминаниям близких родственников, «...Владимир был непослушный, своевольный, шумливый, вспыльчивый. Он поздно научился ходить и часто падал. Упав, он плакал и кричал во все горло.

Владимир был подвержен вспышкам ярости, которые часто заканчивались злой выходкой. Его сестра Анна вспоминала, что он любил ломать игрушки. Однажды на его день рождения няня подарила ему тройку из папье-маше. Схватив подарок, он убежал. Когда его нашли, он, спрятавшись за дверью, хладнокровно, методично, старательно откручивал у лошадей ножку за ножкой.

В пять лет Анна подарила ему линейку. Он тут же исчез, а вернувшись, подошел к сестре и показал ей куски сломанной линейки.

«Как это случилось?» — спросила она. «Я ее сломал», — сказал он, поднял ногу и показал, как он переломил линейку о коленку.

В его приступах ярости было какое-то исступление, неистовость, будто в него вселялся злой дух разрушения» (Роберт Пейн. «Ленин»).

За годы Советской власти официальными «историками» был создан совсем иной образ маленького Владимира — мягкого, доброго, совестливого мальчика с кудрявой головой, любимца своих родителей.

Никто, однако, не смог толком объяснить, откуда у этого доброго интеллигентного мальчика во взрослые годы неожиданно проявился столь свирепый нрав. Сохранилось множество приказов Ленина, написанных им собственноручно, в которых он требует одного: «беспощадно стрелять, вешать, уничтожать, казнить» своих же сограждан.

Вот таким образом в мелочах проявляет себя характер, доставшийся человеку из прошлых жизней. Если в прошлом был палачом, то в новой жизни маленький мальчик будет проявлять необоснованную жестокость, позже, повзрослев, снова станет палачом, если ему не помешать в этом.

Любопытно сравнить детство двух великих диктаторов XX века — Сталина и Ленина.

У первого отец был сапожником, который часто, напиваясь, приходил в ярость по малейшему поводу и избивал своего сына до полусмерти.

У второго отец был образованнейшим и интеллигентнейшим человеком своего времени, смотрителем училищ в Казанской губернии, весьма уважаемым чиновником. Маленького Владимира в отличие от Иосифа в детстве никто никогда не избивал.

Самое удивительное, что при столь абсолютно разном воспитании оба диктатора, придя к власти, стали вести себя одинаково жестко, грубо и нетерпимо к окружающим.

Именно Ленин возвысил Сталина до высших руководящих постов в партии, именно он фактически благословил его на свой пост главы государства. Лишь незадолго до своей смерти Ленин понял, какое чудовище он приблизил к себе. Будь Ленин в душе иным человеком, он, конечно бы, никогда не совершил такой ошибки и не допустил бы в свое окружение этого жестокого и свирепого грузина.

На примере Ленина и Сталина видно, что пороки из прошлых жизней могут пробиться и в нынешней жизни, несмотря на все усилия родителей и воспитателей. Ленин имел очень верующего отца, Иосиф Сталин в молодости был учеником духовной семинарии — при этом оба умудрились вырасти полными безбожниками, оба отдавали приказы расстреливать священников и взрывать церкви.

Это лишь показывает, насколько глубоко зло сидит в людях и как бывает сложно изгнать дьявола из человека.

Любовь к ораторскому искусству, нетерпимость к окружающим

Светоний о Калигуле: «Из благородных искусств он меньше всего занимался наукой и больше всего красноречием, всегда способный и готовый выступить с речью, особенно если надо было кого-нибудь обвинить. В гневе он легко находил и слова, и мысли, и нужную выразительность, и голос...»

Все это позже в полной мере проявилось и во Владимире Ильиче. Ленин обладал несомненным даром красноречия и силой убеждения, за свою жизнь он произнес сотни зажигательных публичных речей, неизменно находя нужные слова и аргументы для слушателей.

Практически во всех выступлениях Ленин яростно обличает своих врагов. Да и все письменные труды вождя большевиков посвящены одному и тому же — критике и разгрому его многочисленных оппонентов — меньшевиков, эсеров, монархистов и т.д.

Как и Калигула, Ленин меньше всего занимался наукой. Получив юридическое образование, Владимир Ильич пытался работать адвокатом, но проиграл все ведомые им процессы.

Литературное наследие Ленина достаточно своеобразно, никаких ценных научных открытий в нем не содержится, кроме одного — как захватить власть в свои руки.

Ленин ошибочно считается создателем первого в мире пролетарского государства. Такое могут утверждать только те люди, которые слабо знакомы с ленинской «наукой». Даже если просто выстроить в логическую цепочку все призывы Ленина, то и тогда ясно вырисовывается конечная цель всех его стремлений и притязаний:

В стране должна быть диктатура пролетариата!

Во главе рабочего класса должна стоять партия большевиков!

В партии должна быть строжайшая дисциплина и беспрекословное подчинение вождю!

Вот теперь видна настоящая цель, к которой стремился Ленин, — абсолютная, ничем не ограничиваемая ЛИЧНАЯ диктатура.

Ленин правил очень жестко, не терпя возражений и протестов даже от своих ближайших соратников. Единственное средство удержать власть — это террор, террор и еще раз террор. Образ доброго и мудрого Ильича был создан гораздо позже коммунистической пропагандой.

Разговоры о пролетарском государстве, о том, что власть должна принадлежать пролетариату, — это чистая, ничем не прикрытая пропаганда. Естественно, Ленин, получив власть в свои руки, ни с каким народом, ни с каким пролетариатом делиться ею не собирался.

Любой диктатор, захватывая власть, прикрывает свои действия словами о том, что он делает это исключительно во благо народа. «Не для себя стараюсь, для людей». В свое время Гитлер пришел к власти точно с такими же лозунгами: «Я хочу сделать народ счастливым».

Очень часто, пытаясь оправдать режим коммунистов, некоторые исследователи сравнивают жизнь людей при царе и при большевиках. Забывая при этом, что Ленин свергнул не царя, он отобрал власть у Временного правительства Российской республики. В ноябре 1917 года Россия уже была республикой, в стране был примерно такой же общественный строй, как сейчас.

Чтобы понять, что именно совершил Ленин, представьте себе, что сейчас, в наше время боевики какой-нибудь партии штурмом возьмут Кремль, вся власть перейдет в руки одного диктатора и всем людям будет объявлено, что «теперь в стране установлена власть народа».

Кстати, Калигула в свое время тоже захватил власть силой, вначале отравив императора Тиберия, а потом собственными руками задушив умирающего цезаря.

Оба правителя — и Калигула, и Ленин — умерли не своей смертью. Оба были убиты своими ближайшими соратниками.

И даже эта душа приходила со своей целью, со своей программой, выполнив ее, она ушла и «зависла» между двух миров, и не нашлось в мире человека, который помог бы ей отсюда там наверху найти свой покой.

Ангелы оправдали даже эту душу: «Ведь его неверие оттолкнуло вас еще больше от истинной веры, чтоб вы, однажды проснувшись, уже не смогли уснуть».

Душе Ленина можно помочь, предав тело земле и поблагодарив его за то, что он каждому из нас дал истинную веру в Бога — Отца нашего Небесного. Ведь уйдя однажды от веры вслед за правителем, сейчас мы возвращаемся к ней с еще большими силами.

А место, где находится Мавзолей, стоит засадить розами — белыми и красными, чтоб эти два цвета больше не воевали, а росли вместе на одной клумбе.

Константин Великий — Владимир Путин

**Константин Великий
(272—337)
Римский полководец.**

**Владимир Путин
(род. в 1952)
Президент России.**

В прошлых жизнях наш нынешний президент был римским императором Константином Великим, кроме этой жизни и той, у него было еще пять перевоплощений, но не о них разговор, а о задаче, с которой он пришел на эту землю, а именно — СПАСТИ МИР и НАШИ ДУШИ.

Константин Великий — основатель Византийской империи. Россию по праву считают наследницей Византии, именно оттуда к нам пришел наш государственный герб — двуглавый орел, именно из Византии на Русь пришло христианство.

На нынешней карте мира Россия занимает точно такое же место, которое на карте древнего мира занимала Византия, являвшаяся великой евроазиатской державой, мостиком между Востоком и Западом.

Константинополь называли Вторым Римом, после падения Константинополя Москву стали величать Третьим Римом.

Константин Великий был выдающимся правителем, поэтому неудивительно, что спустя 17 веков его душа вернулась практически на то же самое место, чтобы вновь изменить мир в лучшую сторону.

Придя к власти, император Константин издал Медиоланский акт по веротерпимости в 313 году. Этот невиданный по гуманности для своего времени документ позволил достичь в обществе мира и спокойствия.

Отныне все религии признавались равными, теперь нельзя было преследовать человека из-за его религиозных убеждений.

В наше время свобода вероисповедания гарантируется Конституцией России. Вы можете верить в Бога, как вы считаете нужным, можете ходить — на выбор — в церковь, мечеть, синагогу, буддийский храм — это ваше законное право.

Впервые это право узаконил император Константин Великий в 313 году. Он сказал: «...Мы, заботясь о благе и пользе подданных, решили предоставить христианам, как и прочим гражданам, полную свободу жить в той вере, в какой кто хочет и которую посчитает наилучшей для самого себя, чтобы высшее Божество было благорасположено к нам и ко всем, которые находятся под властию нашей...

...нами решено и другим дать возможность так же открыто и свободно соблюдать свою религию, да успокоится от этого время наше, и чтобы каждый имел добрую волю выбрать себе веру...»

Император ясно дал понять, какую цель он преследует: «...да успокоится от этого время наше».

Обратите внимание: фразу «...чтобы высшее Божество было благорасположено к нам...» можно понять как признание факта, что Бог один и Он един для всех.

119

Чтобы понять всю значимость этого поступка императора, следует вспомнить, что до этого дня в Римской империи повсюду и повсеместно казнили и пытали людей, которые считали себя последователями Христа.

Ранних христиан жгли на кострах живьеми, отдавали на растерзание диким животным, их распинали на крестах, им выкалывали глаза, резали сухожилия на ногах, отрубали головы.

Но мира и спокойствия от этого в империи не прибавлялось. Константин принял мудрое решение — отныне все религии стали равными. Он не стал закрывать языческие храмы, он не стал насильно обращать людей в христианство. Он дал возможность каждому человеку самостоятельно прислушаться к своему сердцу.

В эти дикие, жестокие времена Константин, как истинно верующий человек, призывает людей жить по заповеди «Возлюби ближнего своего, как самого себя».

Вот что говорил император: «Впрочем, питаясь известными мыслями, сам никто да не вредит ими другому: что один узнал и понял, то пусть употребит, если возможно, в пользу ближнего, а когда невозможно, должен оставить его.

Ибо одно дело — добровольно принять борьбу за бессмертие, а иное — быть вынужденным к ней посредством казни».

То есть если человек поверил в Бога, то пусть поможет ближнему прозреть, но только без насилия.

К сожалению, позже эти золотые слова императора были забыты и его последователи в средние века полмира залили кровью, обращая в христианство целые народы, насаждая веру не словом, а оружием.

* * *

Владимир Путин стал президентом нашей страны в тяжелый для всех нас период. Переход от советской действительности к реалиям капитализма дался нам всем очень дорогой ценой. Сознание большинства россиян было перевернуто с ног на голову, общество бушевало и клокотало.

Путин, как и император Константин, выбрал единственно правильный путь к всеобщему согласию и порядку.

Несмотря на то что большинство россиян исповедуют православие, Путин уделяет равное внимание главам всех религиозных конфессий в стране, без предпочтений.

В Кремле за одним столом часто собираются Патриарх Московский и Всея Руси, Глава всех мусульман России, Главный раввин и Далай-лама России, для того чтобы принять общее решение по многим вопросам.

К примеру, представители разных религий единодушно осудили действия террористов.

Благодаря этой политике в нашей стране в настоящее время нет серьезных межрелигиозных конфликтов.

Такого уровня веротерпимости наша страна еще никогда не знала. В царское время действовал лозунг «Монархия, православие, державность». Приверженцы иных религиозных конфессий преследовались и подвергались гонениям.

В советское время все верующие люди без разбора могли пострадать за свои убеждения.

Сейчас все иначе. Президент Путин, несмотря на то что он православный по вероисповеданию, публично заявил: «Мы не должны говорить верующим, что им следует делать, кого выбирать и как создавать свои общины».

Президент дал понять, что в вопросах религии каждый может сделать то, что посчитает нужным.

Владимир Путин полностью повторил свое деяние из прошлой жизни.

В 325 году Константин Великий назвал христианство единственно истинной религией. Но при этом он не стал разрушать языческие храмы старым римским богам. Не стал казнить тех, кто не верил в Христа, не стал препятствовать иноверцам в продвижении по службе.

Это был воистину Божий поступок.

Те, кто во славу своего Бога убивал иноверцев, поступали так по указке черных сил. Истинную веру силком не насаждают.

В настоящее время церковь в нашей стране отделена от государства, и главы всех религиозных конфессий стоят в стороне от политики.

Например, во время президентских и парламентских выборов ни патриарх, ни муфтий, ни раввин, ни далайлама не указывают верующим, за какого кандидата им следует голосовать.

Напротив, главы конфессий обращаются ко всем кандидатам с просьбой не использовать на выборах религиозную тему в агитационных целях.

Благодаря этим мудрым действиям в России сохраняются мир и покой.

* * *

Путин пришел во власть не только для того, чтобы сделать нас богаче. Он пришел для того, чтобы изменить наше сознание, сделать нас более добрыми и понимающими.

Россиянам нравятся в их президенте в первую очередь его спокойствие и уравновешенность. Он не производит впечатление непредсказуемого политика. Согласно опросам населения, россияне чувствуют гордость за своего президента главным образом потому, что он достойно представляет нашу страну на международной арене.

Константин Великий поражал современников своей простотой и доступностью. Он запретил называть себя при жизни «божественным», он мог спокойно выслушивать от оппонентов критику, не наказывая смельчака за сказанную правду.

В те времена подавляющее большинство монархов вели себя подобно капризным, избалованным детям. Любили лесть, морщились от малейшего неприятного известия, могли казнить человека просто из-за дурного настроения. Редко кто из монархов находил в себе силы, получив власть, вести себя с окружающими не по-скотски, а по-людски.

Константин Великий устраивал собрания, на которых каждый желающий мог на равных поспорить с императором.

В наше время Путин — это образец корректного, спокойного политика. Он не самодур, ведет себя на людях всегда с достоинством и выдержкой.

Раньше, при предшественниках Путина, некоторые министры узнавали о своих отставках из газет и телевидения. Можно только представить, что творилось в душах у людей, которых таким бесцеремонным образом вышвыривали из власти. Что творилось с другими министрами, которые каждое утро с опаской включали телевизор — а вдруг он следующий, чем черт не шутит?

Путин смещение людей с должности проводит с максимальной корректностью. Человек уходит с должности не в пустоту, а на приготовленное место, перед отставкой чиновника награждают орденом, публично хвалят, припоминая все его заслуги.

Благодаря таким действиям удалось достигнуть в обществе покоя и понимания. Путин никогда не действует напролом, он учитывает все нюансы человеческого характера. Он ведет себя не только как руководитель, но и как отец нации, духовный наставник.

Людмила Путина в прошлой жизни была святой Еленой — матерью Константина Великого. Достаточно сравнить деяния двух этих женщин, чтобы убедиться в истинности этого высказывания.

Константин Великий не раз говорил, что он ощущает себя посланником Божьим, который послан на Землю для того, чтобы помочь всем людям.

Владимир Путин также осознает весь груз ответственности, который лежит на его плечах. Главное — это не материальный успех, главное — это мир и согласие в обществе. Поэтому он прилагает все усилия для того, чтобы мы, россияне, чувствовали себя одним общим народом.

* * *

Любопытная деталь.

Став императором, Константин для удобства управления страной разделил ее на префектуры и провинции и поставил во главе префектов и проконсулов.

Путин, став президентом, в первую очередь для таких же целей создал в стране семь федеральных округов и назначил семь своих полномочных представителей.

Этот человек пришел спасти многострадальную Россию, а значит, и нас с вами, и мы ему всячески должны помогать каждый на своем месте, терпеливо ожидая результатов, и мы уверены:

РОССИЯ ВСПРЯНЕТ ОТО СНА, И НА ОБЛОМКАХ САМОВЛАСТЬЯ НАПИШУТ НАШИ ИМЕНА.

Леонардо да Винчи — Пабло Пикассо

Леонардо да Винчи
(1452—1519)
Итальянский изобретатель, художник.

Пабло Пикассо
(1881—1973)
Французский художник и скульптор, испанец по происхождению.

Когда упоминаются имена Леонардо да Винчи и Пабло Пикассо, то неизменно добавляется при этом одно слово — гений. Речь всегда идет не о мастерстве, не о талантливости, речь идет именно о гениальности.

Они оба неповторимы и уникальны в своем творчестве, шедевры, созданные ими, — это настоящие сокровища, известные во всем мире, такие как «Мона Лиза», «Тайная вечеря» великого Леонардо и «Герника», «Девочка на шаре», «Авиньонские девицы» неподражаемого Пабло.

У обоих великих художников было похожее детство.

Леонардо долгое время был в семье единственным ребенком, поэтому его окружала любовь и забота родных, он получил превосходное образование, поражая своими успехами всех преподавателей.

Отец Леонардо с пониманием относился к своему одаренному сыну и все делал для того, чтобы ребенок учился и всесторонне развивался. Заметив, что Леонардо более всего увлекается рисованием и лепкой, отец отвел сына к своему приятелю Андреа дель Верроккьо — одному из самых прославленных мастеров Флоренции.

Андреа, увидев работы Леонардо, пришел в совершеннейший восторг, сказав, что этого мальчика ждет великое будущее.

Судьба благоволила к гению, Ангелы-Хранители создали все условия для того, чтобы Леонардо смог раскрыть все свои таланты.

Точно под таким же покровительством Небес с самого рождения находился Пабло Пикассо. Отец Пабло был художником, и он с детства начал знакомить сына с основами живописи. Очень скоро отец убедился, что Пабло необычайно одарен и талантлив и намного превосходит талантами своего родителя.

Взглянув в очередной раз на работы своего ребенка, отец протянул Пабло палитру и кисть, сказав при этом: «Сын мой, больше я ничему не могу научить тебя».

И Леонардо да Винчи, и Пабло Пикассо отличались невероятной работоспособностью. Каждый оставил после себя огромное наследие — тысячи и тысячи рисунков, картин, скульптур, эскизов, гравюр, рукописей.

При этом оба были чрезвычайно разносторонними личностями, проявляя свои таланты в различных областях науки и искусства.

Леонардо был не только художником и скульптором, но и архитектором, инженером, изобретателем, философом, ученым. Он внес вклад чуть ли не во все существовавшие на тот момент науки — в анатомию, физиологию, ботанику, картографию, палеонтологию, геологию, математику, химию, аэронавтику, оптику, механику, астрономию, гидравлику, акустику.

Таким же был и Пабло Пикассо. Вот что сказал о нем его друг Илья Эренбург: «Всю свою жизнь он учился. Когда ему было сорок лет, он учился у испанского ремесленника Хулио Гонсалеса, как обрабатывать листовое железо; в шестьдесят лет учился искусству литографа, в семьдесят стал гончаром».

Любопытная деталь — Леонардо да Винчи не обладал врожденным чувством перспективы — умением видеть и изображать предметы в удаленном пространстве. Ему было трудно передать на полотне реальные пропорции человеческого тела.

Чтобы исправить эти недостатки, Леонардо долго и упорно изучал человеческое тело, много времени провел в анатомическом театре, вскрывая трупы, исследуя кости и ткани. Чтобы нарисовать картину с дальней перспективой, Леонардо приходилось прибегать к математическим и геометрическим расчетам и вычислениям.

Пабло Пикассо в свое время создал особое направление в живописи — кубизм. Этот жанр живописи отличается от других тем, что в нем напрочь отсутствуют такие понятия, как пропорции человеческого тела и пространственная перспектива. Пикассо изображал человеческие тела в виде абстрактных фигур, противореча всем канонам живописного искусства. На знаменитом полотне «Герника» Пикассо передал ужас войны с помощью таких вот штрихов и деталей — искаженные, непропорциональные лица людей, раскрытые в диком вопле рты в виде дырок, глаза, сдвинутые выше лба.

С помощью такой техники письма Пикассо удалось наиболее ярко и зримо выразить свою боль и бушевавшие в нем чувства. Эта картина — эмоциональный порыв художника — не сразу была воспринята зрителями и знатоками. В испанских журналах даже писали, что «это полотно — худшее из того, что создал Пикассо».

Ныне «Герника» считается общепризнанным шедевром, а Пикассо является создателем нового направления в искусстве.

Главное в произведениях искусства — это не техника и не умение, главное — это душа Творца и Художника, вложенная им в его детище. Очень часто шедевры производят на людей сложные, противоречивые впечатления, потому что кто-то сумел почувствовать душу Художника, а кто-то — нет.

Этот пример доказывает, что особенности творческого мышления передаются из одной жизни в другую. Подлинный гений способен даже некоторые недостатки обратить на пользу себе.

Оба великих художника жили долго и работали до последних своих дней. Оба чувствовали свой долг перед Всевышним и все силы отдавали только одному делу — работе.

Перед смертью Леонардо да Винчи сказал: «Я был грешен перед Богом и перед людьми тем, что работал в искусстве не так, как подобало». Он казнил себя за то, что не до конца использовал все отпущенное ему Свыше.

В следующей жизни он постарался исправить этот недостаток. Своей жене Жаклин Пабло Пикассо однажды сказал: «Моей работе я посвящаю все — тебя, любую другую женщину, самого себя. Потому что обычный человек тратит свою энергию на тысячи мелочей. Я же расходую ее исключительно на одно: мою живопись...»

Этой душе хватило энергии, чтобы подняться туда, откуда она родом.

Френсис Дрейк — Мата Хари

Френсис Дрейк
(1538—1596)
Английский пират и адмирал.

Мата Хари
(1876—1917)
Прославленная шпионка.

Два величайших авантюриста, жизнь каждого из них напоминает приключенческий роман, полный интриг, путешествий, опасностей и головокружительных романтических историй.

Френсис родился в 1540 году в Англии. Его родители были бедными протестантами. У них не было своего дома, все семейство обитало в старом прогнившем корабле. Морское судно с самого детства стало родным домом будущего адмирала.

В 12 лет Френсис стал юнгой, через несколько лет владелец судна умер и завещал свой корабль смышленому юноше. Так в 16 лет Френсис стал хозяином и капитаном барка. Когда человек чего-то страстно хочет, то сами Небеса помогают ему в этом.

В 25 лет Френсис занимался тем, что перевозил рабов из Африки в Южную Америку.

Когда до Дрейка дошли известия о том, что англичане готовят военную экспедицию против испанцев, то он, не колеблясь, захотел присоединиться к этому походу.

Поход против испанцев оказался неудачным, в сражении в Карибском море все корабли англичан были захвачены в плен, и только удачливому Дрейку удалось вырваться из ловушки и вернуться домой в Англию. Удача и везение будут сопровождать Дрейка почти всю его жизнь, и он даже получит прозвище Железный пират.

В 1572 году Френсис совершил удачный набег на испанские колонии в Карибском море, ограбил несколько сухопутных караванов на Панамском перешейке и с богатой добычей вернулся в Англию.

После этого сама английская королева Елизавета изъявила желание финансировать дальнейшие пиратские походы Дрейка.

Френсис успешно грабил испанские корабли в Атлантическом океане, но однажды произошло нечто, что сразу выделило Дрейка из числа обычных пиратов, — он неожиданно для самого себя совершил кругосветное путешествие, второе после Магеллана.

В 1577 году Френсис Дрейк, командующий флотилией из четырех судов, отправился в опасное путешествие — он хотел тайно напасть на испанские колонии, расположенные на тихоокеанском побережье Южной Америки, ограбить их и вернуться в Англию кружным путем, обогнув американский континент с севера.

В то время англичане еще не совершали плаваний в Тихий океан, в котором безраздельно властвовали испанцы и португальцы. Это было весьма опасное мероприятие, на которое мог решиться только такой отчаянный человек, как Железный пират.

В 1578 году корабли Дрейка прошли сквозь Магелланов пролив, но в Тихом океане свирепый шторм раскидал в разные стороны флотилию пиратов.

Корабль Дрейка «Золотая лань» был отброшен далеко на юг, и это обстоятельство помогло сделать капитану важное географическое открытие — он обнаружил пролив между Южной Америкой и Антарктидой, который был назван его именем. Пролив Дрейка — самый большой пролив в мире.

Далее Дрейк совершил фантастический по своей дерзости и удачливости рейд вдоль тихоокеанского побережья Южной Америки — ничего подобного не ожидавшие испанские корабли и колонии сдавались практически без боя.

Корабль «Золотая лань», нагруженный награбленными сокровищами под самую завязку, от берегов Америки отправился к Филиппинским островам через весь Тихий океан. затем пересек Тихий океан, держась в стороне от торговых путей. Теперь для Дрейка важным было только одно — довезти добычу до Англии в целости и невредимости, поэтому он всячески избегал столкновений с испанцами и португальцами.

«Золотая лань» обогнула Африку с юга и в сентябре 1580 года вернулась в Англию. Дрейк стал первым капитаном, который сумел совершить кругосветное путешествие от начала до конца — Магеллан, как известно, во время своего плавания погиб на половине пути.

За это плавание и за богатую добычу королева Елизавета произвела пирата Френсиса Дрейка в рыцарское звание (в то время в Англии всего триста человек имели это почетное звание).

Став сэром, Френсис Дрейк тем не менее не бросил своего ремесла и по-прежнему грабил испанские суда и колонии у берегов Америки. В 1587 году Дрейк совершил исключительно опасное нападение на город Кадис в Испании. Командуя флотилией из тринадцати судов, Дрейк ворвался в порт и потопил более тридцати вражеских судов. На обратном пути в Англию Дрейк уничтожил более сотни португальских кораблей.

В 1588 году испанцы были готовы осуществить вторжение в Англию Испанский король Филип II собрал невиданный для того времени флот получивший на звание «Непобедимая армада».

Но случилось невероятное: англичане, обладавшие меньшими силами на море, тем не менее смогли разгромить «Непобедимую армаду», и огромная заслуга в этой победе принадлежит Френсису Дрейку, который был одним из руководителей английского флота.

Испанскому морскому могуществу был нанесен сокрушительный удар. Отныне и на века почетное звание «властительница морей» было закреплено за Англией.

Удивительно, но после разгрома «Непобедимой армады» удача отвернулась от Дрейка.

В 1589 году Дрейк предпринял крайне неудачную экспедицию в Португалию, целью которой был захват Лиссабона. Из 16 тысяч солдат Дрейк потерял 10 тысяч и ни с чем вернулся домой.

Отношение английской королевы Елизаветы к своему любимому пирату изменилось на долгое время.

Лишь в 1595 году Френсис Дрейк получил возможность совершить еще одно путешествие к берегам Америки для того, чтобы грабить корабли и колонии испанцев. Во время этой экспедиции Железного пирата сопровождали сплошные неудачи, испанцы отчаянно сопротивлялись, добычи было мало, ветра все время дули неблагоприятные, кончилось все тем, что в 1596 году 56-летний адмирал Френсис Дрейк умер от дизентерии возле берегов Панамы.

Его тело, по морскому обычаю, было захоронено с воинскими почестями в свинцовом гробу в открытом море. Испанцы, узнав о смерти Железного пирата, устроили настоящие празднества с фейерверками и иллюминацией.

Душа Френсиса Дрейка вновь вернулась на Землю в образе Маргареты Гертруды Целле по прозвищу Мата Хари.

Маргарет родилась в Голландии в 1876 году. Так же как и Френсис Дрейк, Маргарет с детства узнала нужду и лишения — ее родители рано умерли и ее воспитанием занялся дядя.

Девочке была противна убогая провинциальная жизнь, она мечтала о путешествиях и необыкновенных приключениях. В 19 лет Маргарет обнаружила в газете брачное объявление капитана колониальных войск Рудольфа Маклеода и вышла за него замуж.

Муж увез молодую жену в Индонезию, на остров Ява. Сбылись все мечты Маргарет, на острове она со всей страстью отдалась новым развлечениям — она обожала офицерские рауты, внимание мужчин, перед которыми она даже танцевала весьма смелый танец с поднятыми юбками — канкан.

Рудольф поздно понял, что он взял в жены не ту девушку — Маргарет вовсе не собиралась заниматься хозяйством и воспитывать детей. Пиратская натура из прошлой жизни не давала ей покоя.

Рудольф пытался воспитывать свою жену, часто избивал ее и однажды даже угрожал ей заряженным пистолетом. Все было тщетно. Маргарет, так же как и Френсис Дрейк, не была создана для семейной жизни.

В 1899 году, после четырех лет брака, Маргарет развелась с Рудольфом. Их общий ребенок остался у отца. Больше Маргарет никогда не изъявит желания завязать с кем-нибудь брачные узы.

В 1903 году Маргарет приехала в Париж, ее душа требовала бурных приключений, которые она рассчитывала найти в столице Франции. Она даже сказала однажды: «Мне казалось, что все женщины, которые сбежали от своих мужей, должны непременно ехать в Париж».

В Париже Маргарет придумала себе имя «Мата Хари», что переводится как «глаз утренней зари», и стала выдавать себя за индианку, танцовщицу ритуальных танцев в священных храмах. Мата Хари обладала экзотической восточной внешностью, поэтому многие парижане вначале искренне поверили в эту сказку.

Мата Хари стала родоначальницей стриптиза, выступая перед изумленными зрителями в обнаженном виде. Однажды она честно сказала: «Я никогда не умела хорошо танцевать. Люди толпами приходили на меня посмотреть только потому, что я была первой, осмелившейся показаться перед публикой обнаженной».

Мата Хари стала самой высокооплачиваемой танцовщицей в Европе, ее выступления с успехом прошли во всех крупнейших городах континента. Она сколотила целое состояние и вела роскошный образ жизни — жила в шикарных апартаментах, имела богатых любовников, тратила деньги без счета.

Френсис Дрейк тоже любил роскошь — обедал на золоте, при этом целый оркестр музыкантов услаждал его слух. Адмирал обожал надевать костюмы, расшитые золотом, ему нравилось производить впечатление на окружающих.

Прошло время, танцы Мата Хари уже перестали вызывать такой ажиотаж, спрос на ее выступления сильно упал. Чтобы поддержать свой уровень жизни и удовлетворить свою все возрастающую жажду к приключениям, «индийская храмовая танцовщица» решила стать шпионкой. За это тоже немало платили.

Мата Хари зарабатывала деньги всеми возможными способами, она часто оказывала мужчинам интимные услуги за соответствующую плату, нисколько этого не стесняясь.

Во время Первой мировой войны Мата Хари продолжала встречаться с высшими офицерскими чинами всех воюющих стран — и с немцами, и с французами, и с русскими.

У своих высокопоставленных любовников Мата Хари узнавала секретную информацию и передавала ее руководителям спецслужб. Она понимала, что очень сильно рискует, работая сразу на два фронта, но опасность только возбуждала ее.

В феврале 1917 года французы арестовали прославленную куртизанку, обвинив ее в сотрудничестве с немцами. 15 октября 1917 года Мата Хари была расстреляна. До последней минуты она верила в то, что ее простят и оправдают, но законы военного времени были суровы и неумолимы.

Любопытная деталь — в расстреле Маты Хари участвовал целый взвод, но из всех выпущенных пуль только одна попала в ее тело. Лишь один человек решился выстрелить прямо в сердце Мата Хари, остальные солдаты предпочли целиться в сторону.

Находясь в тюрьме перед лицом смертельной опасности, Мата Хари поражала всех своим самообладанием и демонстрировала могучую силу духа. Ее поведение совсем не вязалось с ее образом стриптизерши и куртизанки. Никто из охранников даже не подозревал, что в теле этой хрупкой с виду женщины билось сердце неустрашимого Железного пирата, прославленного авантюриста и искателя приключений.

За все свои похождения душа Мата Хари отправилась на третий уровень чистилища, где и находится до сих пор.

Бетховен — Мадонна

**Бетховен Людвиг ван
(1770—1827)**
Немецкий композитор.

Мадонна
Американская певица.

Жизнь обоих этих великих людей можно выразить формулой «талант + трудолюбие + волевой характер = всемирная слава».

У обоих было очень тяжелое детство — деспотичные отцы, недостаток денег, отсутствие родительской любви, суровые условия. Оба достаточно рано проявили свой жесткий, бескомпромиссный характер.

Пианист Людвиг ван Бетховен дал свой первый концерт в восемь лет в Кельне. И имел успех! После выступления в Голландии, в Роттердаме, Людвиг сказал: «Я больше туда не поеду, голландцы — копеечники».

С раннего детства Людвиг умел отстаивать собственную точку зрения, заставляя всех окружающих считаться со своим мнением. Независимый, уверенный в себе, бескомпромиссный, напористый, прямолинейный, порой грубоватый — таким был Бетховен. Однажды он резко ответил одному высокому вельможе: «Князь! Тем, чем вы являетесь, вы обязаны случаю и происхождению; тем, чем я являюсь, я обязан самому себе. Князей есть и будет тысячи, Бетховен — один!»

Мадонна, сделавшая невероятную карьеру в шоу-бизнесе, сказала однажды: «Я сама себя вытащила наверх за бретельки собственного бюстгальтера. Быть могущественной — изумительное ощущение. Я думаю это главная цель человеческой жизни: могущество».

Все деятели шоу-бизнеса, имевшие дело с Мадонной, в один голос говорят о том, что ее практически невозможно в чем-то переубедить — в любой ситуации эта девушка всегда уверена в своей правоте и готова отстаивать свою точку зрения до последнего. Невероятно сильный, волевой характер, который ставил в тупик любых признанных авторитетов.

Мадонна напрочь опровергла мысль, что «прекрасный пол — слабый пол», заявив: «Киски правят миром. Я не жертва. В детстве меня не изнасиловали, я не брошенный ребенок, не пью и ничем не обязана мужчинам».

Гениальный композитор Бетховен был невероятно плодотворен и трудолюбив, за свою жизнь он создал десятки музыкальных произведений — симфоний, сонат, концертов. «Лунная соната», «Аппассионата», «Патетическая соната», «Пятая симфония» — настоящие жемчужины мирового музыкального фонда.

Мадонна сочинила не один десяток песен, ставших мировыми хитами. Долгие годы певица удивляла и продолжает удивлять своих поклонников неиссякаемым трудолюбием и новыми песнями. Недаром Мадонну называют фабрикой по производству хитов

И у Бетховена, и у Мадонны не сложились добрые дружественные отношения с близкими родственниками, в личной жизни у обоих было множество проблем.

Получив от Бога уникальный слух, Бетховен никогда не благодарил за это Небеса. За что здесь, на Земле, начал рано терять его и к концу жизни стал практически глухим человеком. Когда его душа вернулась обратно, то заняла четвертый уровень в Чистилище, чтобы как можно скорее вернуться вновь и попытаться все исправить.

Если Ангел-Хранитель Мадонны сможет достучаться до нее и она обретет истинную веру, то в этом случае она сможет подняться на достойный уровень в Небесном мире, когда подойдет ее срок.

Джордано Бруно — Сергей Есенин — Игорь Тальков

**Джордано Бруно
(1548—1600)**
Итальянский философ, ученый и поэт.

**Есенин Сергей
(1895—1925)**
Русский поэт.

Игорь Тальков
(1956—1991)
Русский поэт и композитор.

Три человека, оставившие яркий след в истории. Все трое ушли из жизни в результате насильственной смерти.

Джордано Бруно был приговорен к смертной казни средневековой инквизицией, требовавшей, чтобы он отказался от своих научных, прогрессивных взглядов. Восемь лет Джордано просидел в тюрьме, но от своего учения не отрекся.

В 1600 году в Риме на площади Цветов был заживо сожжен великий ученый, философ и поэт.

В 1925 году в Ленинграде в гостинице «Англетер» был убит русский поэт Сергей Есенин. Версия о том, что это было самоубийство, не выдерживала никакой критики — в номере Есенина был устроен настоящий погром, на теле поэта были заметны многочисленные кровоподтеки и ссадины.

Сергей Есенин был убит в результате разбойного нападения местными уголовниками, считающими, что у популярного поэта в номере должно быть много денег. Избив поэта до полусмерти, они повесили его на ремне от чемодана.

Спустя несколько десятков лет история вновь повторилась.

6 октября 1991 года в Петербурге (опять!) во время концерта во дворце «Юбилейный» был застрелен из пистолета известный поэт и композитор Игорь Тальков.

Как и в случае с Сергеем Есениным убийца не был найден.

Мистическое совпадение — в 1990 году Игорь Тальков снимался в фильме «За последней чертой», он играл роль главаря банды рэкетиров, которого по ходу действия убивают выстрелом из пистолета.

Эпизод с убийством снимался 6 октября 1990 года. А ровно через год, день в день, Игорь умирает теперь уже от настоящей пули.

Ничего случайного в этом мире нет.

Тальков предчувствовал свою смерть, однажды он сказал: «Меня убьют на виду у толпы людей, но убийцу так и не найдут».

Он имел сильную связь с Небесами, верил в Бога и в переселение душ.

Недаром в одной из песен Игоря Талькова есть такие строчки:

> ...Быть может, через сто веков
> Вернусь в страну не дураков,
> А гениев...

Спартак — Ян Гус — Жорж Дантон

Спартак
(106—71 до н.э.)
Руководитель вооруженного восстания против римлян. Убит в бою.

Гус Ян
(1371—1415)
Священник и богослов, идеолог чешской Реформации, национальный герой Чехии.

В 1415 году был заживо сожжен на костре.

Дантон Жорж Жак
(1759—1794)

Деятель Великой французской революции.

Родился в 1759 году. В 1794 году был казнен по приговору революционного суда. Ему отрубили голову гильотиной.

Все трое посвятили свои жизни одному делу — освобождению угнетенных масс от тирании. Ради этой великой цели все трое пожертвовали своими жизнями.

Невероятно сильный, могучий и волевой характер, полное презрение к смерти, готовность умереть за свои идеалы, удивительное мужество, бесстрашие, вера в победу — эти слова можно с полным правом отнести и к Спартаку, и к Яну Гусу, и к Жоржу Дантону.

Все трое были в каком-то роде революционерами, борцами за справедливость, все трое погибли, став жертвами предательства.

Спартак — предводитель крупнейшего восстания рабов в Древнем Риме в 74—71 годах до нашей эры. Спартак был учителем фехтования в школе гладиаторов в римском городе Капуя. Он возглавил заговор против римлян. Семьдесят гладиаторов во главе со Спартаком сумели вырваться на свободу и укрыться на горе Везувий.

Слух об этом разнесся по соседним городам, и к Спартаку стали стекаться беглые рабы со всей Италии. Римляне послали войска для того, чтобы разгромить и примерно наказать «шайку беглых рабов».

Но произошло невероятное — Спартак сумел обмануть нападавших, ночью тайно спустился с горы и вышел в тыл к ничего не подозревающим римлянам. Победа восставших была полной и сокрушительной.

Известие об этой победе моментально облетело всю Италию, имя Спартака стало легендарным, вскоре под его командованием было настоящее войско из десятков тысяч бывших рабов.

Спартак одерживал одну победу за другой над римлянами, но тут среди восставших начались внутренние раздоры. 10-тысячный отряд повстанцев под руководством Ксеркса, не согласного со Спартаком, отделился от основной армии и был наголову разбит римлянами.

Спартак решил уйти на остров Сицилия и договорился с киликийскими пиратами, что те предоставят ему свои корабли для переправы. Пираты, страшась гнева римлян, обманули Спартака, и тот оказался в ловушке.

Армия Спартака оказалась заперта в настоящей западне на узком полуострове — с трех сторон повстанцев окружало море, а с четвертой стороны их поджидали легионы римлян под руководством Красса. Римляне в самом узком месте полуострова выкопали ров и поставили за ним высокий частокол.

Восставшим терять было нечего, они пошли на штурм этих укреплений, в ожесточенной схватке они сумели прорвать оборону римлян, но в дальнейшей битве спартаковцы были разгромлены.

Сам Спартак храбро погиб в бою, его тело так и не было найдено. 6 тысяч захваченных в плен повстанцев были распяты римлянами вдоль дороги, ведущей от Рима до Капуи.

Вот так закончилось величайшее восстание рабов в истории Древнего Рима.

Душа Спартака через два воплощения вновь вернулась на Землю в конце XIV века в образе магистра Пражского университета Яна Гуса — борца за права и свободу простых людей.

Ян Гус выступал с резкой критикой католического духовенства, обличал продажность Церкви, требовал ограничения власти римского папы. «Церковь должна отказаться от роскоши и богатства, вернуться к временам «евангельской простоты», отказаться от чересчур огромных земельных владений, — говорил Ян Гус. — Каждый верующий имеет право сам толковать Библию, как считает нужным, все правила, придуманные священниками, не имеют силы закона. Перед Богом все равны».

Естественно, духовенство в ответ стало обвинять чересчур ретивого проповедника в ереси и богохульстве. Ян Гус был отлучен от церкви, но простой народ, напротив, всем сердцем воспринял призывы реформатора. Антицерковное движение ежедневно ширилось и увеличивалось. В целом учение Яна Гуса защищало самых бедных людей в государстве.

В 1414 году Яна Гуса пригласили на церковный собор в город Констанце. Император Сигизмунд пожаловал чешскому реформатору охранную грамоту.

Ян Гус поверил императору и жестоко за это поплатился, повторив ошибку Спартака, который, доверившись пиратам, попал в ловушку.

Чешский проповедник был схвачен, брошен в тюрьму, а позднее, 6 июня 1415 года, сожжен на костре. Ян

Гус перед лицом смерти вел себя достойно и не стал отрекаться от своего учения, как того требовали священники.

Сожжение Яна Гуса вызвало возмущение во всей Чехии. Гуситские войны окончились лишь в 1434 году.

В следующий раз душа Спартака-Гуса вселилась в Жоржа Дантона — деятеля Великой французской революции.

После свержения монархии и публичной казни короля Людовика XVI вождями революции был организован беспощадный террор в Париже и по всей стране. Робеспьер и Марат требовали смертной казни не только для врагов революции, но даже для тех, кто «был просто равнодушным».

Дантон, который вместе с Робеспьером и Маратом был одним из наиболее влиятельных деятелей революции, требовал прекращения чудовищной политики террора, отмены тяжелейшего закона об ограничении заработной платы и прочих экстремальных деяний якобинцев.

Дантон выражал интересы простого народа, желавшего мирной, спокойной жизни. За это он был приговорен к смертной казни своими же соратниками.

Повторилась трагическая история из прошлых жизней — Дантон, как Спартак и Ян Гус, стал жертвой предательства.

Когда телега с осужденными на казнь проезжала мимо дома Робеспьера, Дантон громко крикнул: «Робеспьер, я жду тебя!»

(Эти слова оказались пророческими, через несколько месяцев Робеспьеру тоже отрубили голову.)

На эшафоте Дантон держался мужественно, обратившись с просьбой к палачу: «Подними мою голову и покажи ее народу, она это заслужила».

Все три революционера — Спартак, Ян Гус, Дантон — приняли свою смерть при большом скоплении народа, все трое сохраняли спокойствие духа до последней секунды, никто из них ни разу не дрогнул перед палачами и не пытался заслужить хоть малейшего прощения.

Память об этих несгибаемых героях сохранилась на века.

Эта душа, прожив свои девять воплощений и с достоинством перенеся все лишения, выпавшие на ее долю, прошла девять кругов Ада, ушла на планету Марс, где заняла достойное место в одном из измерений, принадлежащем Богу-Творцу всего живого.

Мольер — Мерилин Монро

Мольер Жан Батист
(1622—1671)
Французский драматург.

Мерилин Монро
(1926—1962)
Американская актриса.

Два прославленных артиста. оставивших свои имена в памяти человечества.

Отец Мольера надеялся, что его сын станет адвокатом или нотариусом, но тот не оправдал его ожиданий. Жан Батист получил ученую степень юриста, но спустя некоторое время бросил эту работу и ушел в актеры.

Мольер всю свою жизнь, до самого последнего дня, играл на сцене, исполняя главные роли в им же самим написанных пьесах.

17 февраля 1671 года во время представления «Мнимого больного» Мольеру стало плохо прямо посреди действия спектакля. Спустя некоторое время он умер. Церковь не разрешила хоронить Мольера по христианскому обряду. Только после распоряжения самого французского короля Людовика XIV тело актера и драматурга было захоронено на кладбище, где хоронили самоубийц и некрещеных детей.

Так Церковь отомстила еретику, который в своих пьесах критиковал продажность и хитроумие священников.

Мольер был великим сатириком своего времени, он открыто указывал на недостатки и пороки существующего общества, выставлял на потеху великих мира сего — высмеивал высокомерие вельмож, их грубость в обращении с низшими, вышучивал ревнивцев и жадных собственников, воспитателей-лицемеров, священников с их напускным благочестием.

Мольер сумел по-новому представить публике образ Дон Жуана, который ранее другими авторами рисовался только в отрицательных тонах — развратник, бессердечный любовник, хладнокровный убийца. У Мольера Дон Жуан выглядит героем — смышленым и веселым, остроумным и смелым, великодушным и элегантно порочным. Он бросает вызов обществу ханжей, и симпатии зрителей в конце концов оказываются на его стороне.

В следующей жизни душа Мольера вселилась в тело Мерилин Монро.

Мать Мерилин Монро оказалась религиозной фанатичкой с непредсказуемым характером. Однажды во время очередного психического припадка она набросилась с ножом на свою подругу, после этого поступка мать Мерилин была упрятана в психиатрическую лечебницу.

Сама Мерилин в отличие от матери избежала религиозного фанатизма. Позже, выйдя замуж, она примет иудейскую веру, а к концу жизни будет называть себя «иудейкой-атеисткой».

В молодости Мерилин Монро работала на заводе, потом, так же как и Мольер в свое время, оставила скучную работу и перебралась жить в Голливуд в надежде стать актрисой.

Через несколько лет она стала всемирно известной кинозвездой. В те времена в Голливуде было множество красивых блондинок с хорошими фигурками, но именно Мерилин Монро выпала честь стать главным секс-символом планеты.

Мерилин прекрасно понимала свое предназначение — быть Мечтой для миллионов мужчин во всем мире. И она великолепно справилась с этой ролью. Она вовсе не была глупой блондинкой, как ее порой изображали журналисты и какой ее хотели видеть кинопродюсеры.

У нее был свой определенный сложившийся имидж, и она старалась не выходить за рамки этого образа. В любом случае ее нельзя было назвать недалекой и простоватой актриской.

Мерилин достаточно иронично относилась к себе и к шоу-бизнесу в целом. Вот несколько ее высказываний на эту тему:

«Голливуд — это место, где тебе платят тысячу долларов за поцелуй и пятьдесят центов за твою душу».

«Свою карьеру я начала как глупенькая курва-блондинка. И так же кончу».

«Карьера — чудесная вещь, но она никого не может согреть в холодную ночь».

Образ сексуальной красавицы, созданный Мерилин Монро, оказался настолько силен и ярок, что даже спустя десятки лет после смерти киноактрисы ее по-прежнему продолжают считать самой обворожительной женщиной в мире. Только человеку с богатой душой, только великому драматургу (Мольеру) оказалось под силу сделать из своей жизни такую удивительную сказку.

Мерилин Монро красиво сыграла свою главную роль — роль покорительницы мужских сердец:

«Я совершенно определенно женщина, и это меня радует. Я согласна жить в мире, которым правят мужчины, до тех пор, пока я могу быть в этом мире женщиной».

«Не волноваться, а волновать!»

«Сильный мужчина не нуждается в том, чтобы самоутверждаться за счет женщины, имевшей слабость его полюбить. Ему и без того есть где проявить свою силу».

Мерилин трижды выходила замуж и трижды разводилась. Свой горький опыт семейной жизни она подытожила такими словами: «Муж — это человек, который всегда забывает твой день рождения и никогда не упустит случая назвать твой возраст».

Незадолго до своей трагической смерти Мерилин призналась: «Женщина из меня не получилась. Мужчины из-за моего образа секс-символа, созданного мной самой, слишком многого от меня ожидают — они ожидают, что зазвонят колокольчики и засвистят свистки. Но моя анатомия ничем не отличается от анатомии любой другой женщины. Я не оправдываю ожиданий».

После смерти душа Мерилин Монро попала на четвертый уровень Рая. Ее любили и продолжают любить большая часть мужчин нашей планеты.

Андрей Рублев — Иван Иванович Шишкин

Андрей Рублев
(ок. 1360-1370—1430)
Русский иконописец.

Иван Шишкин
(1832—1898)
Русский художник-пейзажист.

Еще одно классическое перевоплощение. В обоих жизнях этот человек был прославленным русским художником, воспевшим в своих творениях дух и красоту России.

Андрей Рублев написал иконы «Благовещение», «Вознесение», «Архангел Михаил», «Апостол Павел» и многие другие. Вершиной творчества великого мастера является икона «Троица».

Лучшие произведения Ивана Шишкина — картины «Корабельная роща», «Утро в сосновом лесу», «Рожь», «Утро туманное», «Золотая осень» — прославляют русскую природу.

Находясь за границей, патриот Шишкин однажды сказал: «Полюбить природу чужого народа — что изменить своей церкви». Иван Шишкин и Андрей Рублев были очень верующими людьми, чистыми и светлыми, поэтому все их творения наполнены каким-то неземным свечением и обладают особым магическим притяжением.

«В рисунке природы не должно быть фальши. Это все одно, что сфальшивить в молитве, произнести чужие и чуждые ей слова», — говорил Иван Шишкин.

Интересная деталь — Андрей Рублев никогда ни с кем не разговаривал, дав монашеский обет молчания. Он был довольно замкнутым человеком, постоянно находясь в своих мыслях и молитвах к Богу.

Иван Шишкин за свой молчаливый нрав получил от друзей прозвища Монах и Семинарист; несмотря на свой внешне суровый вид, художник был очень добрым и отзывчивым человеком. Бог любит таких людей и дарует им за их трудолюбие и терпение свою милость.

Ирод Великий — Лаврентий Берия

**Ирод Великий
(73—4 до н.э.)**
Царь Иудеи.

Лаврентий Берия
(1899—1953)
Политический деятель

Царь Ирод вошел в историю как жестокий, мстительный, мнительный правитель, который, не задумываясь, мог предать смерти даже самых близких родственников. Недаром слово «ирод» стало нарицательным для совсем уж бесчеловечных людей.

Евреи неоднократно выступали против своего чересчур кровожадного и алчного царя, но Ирод каждый раз топил все народные восстания в крови и после этого лишь усиливал репрессии.

Царь Ирод уважал только силу, опасался тех, кто сильнее его, и безжалостно расправлялся с теми, кто слабее.

Ироду повсюду чудились заговоры, он постоянно опасался за свою жизнь и власть. Он не доверял никому, даже к членам своей семьи относился с подозрением.

В конце концов Ирод распорядился казнить собственную жену Мариамну, считая, что та хотела его отравить. После того как приговор привели в исполнение, Ирод понял, что он ошибся. После смерти Мариамны любовь Ирода к ней разгорелась с удвоенной силой, он стал ходить по опустевшему дворцу и призывать к себе казненную по имени. Ирод также заставил слуг звать Мариамну к царю. Это было подлинное сумасшествие. Ирод на время даже забросил все государственные дела и топил свое горе в пьянках и кутежах.

Раскаявшийся царь обратил свою любовь к двум сыновьям Мариамны — Аристобулу и Александру. Но через некоторое время чрезмерная подозрительность Ирода взяла верх, и он стал опасаться, что сыновья захотят убить своего отца. По ночам царю часто виделся один и тот же сон — его дети тихо подходят к его кровати и вытаскивают из-под одежд обнаженные мечи.

Кончилось все тем, что Ирод, не выдержав, приказал задушить и Александра, и Аристобула.

За несколько дней до своей смерти Ирод отдал приказ казнить своего родного сына от первого брака — Антипатра.

В очередной раз душа Ирода вернулась на Землю в образе советского государственного деятеля Лаврентия Берии. И в новой жизни все старые пороки иудейского царя проявились в полную силу.

В 1938 году Лаврентий Берия стал наркомом внутренних дел СССР. Вскоре начались массовые репрессии против ни в чем не повинных людей. Миллионы советских граждан оказались в лагерях или были расстреляны из-за чрезмерной подозрительности работников НКВД.

Лаврентий Берия был организатором и руководителем «переселения народов». «Провинившиеся» перед Советской властью народы — калмыки, карачаевцы, чечены, ингуши, балкарцы, немцы, турки-месхетинцы — были выселены из родных мест обитания в отдаленные районы СССР.

После окончания Второй мировой войны Берия проводил в Европе «сталинизацию» ряда стран. Миллионы людей при этом были арестованы и высланы в лагеря.

Лаврентий Берия, как и Ирод Великий отличался повышенной подозрительностью, недоверчивостью, жестокостью и кровожадностью.

Архимед — Ньютон — Менделеев

Архимед
(ок. 285—212 до н.э.)
Древнегреческий ученый, работавший в области математики, геометрии, физики, гидростатики и механики.

Исаак Ньютон
(1643—1727)
Английский ученый, работавший в области оптики, механики, математики, астрономии, термодинамики и акустики.

Дмитрий Иванович Менделеев
(1834—1907)
Русский химик.

Великий человек трижды появлялся на Земле и каждый раз становился выдающимся исследователем, совершая настоящий переворот в науке. Очень трудно переоценить значимость всех открытий, сделанных этими тремя гениальными учеными мужами.

Небеса всякий раз в каждой жизни помогали этому человеку найти истину, открыть тайны природы, поведать людям секреты окружающего мира.

Любопытная деталь — все великие открытия были сделаны этими учеными в момент озарения, неожданно, как бы вдруг. Хотя, естественно, ничего случайного в этом мире не бывает. Все гениальные озарения имеют одну природу — истина всегда спускается Свыше от Ангелов-Хранителей.

Но такую милость нужно заслужить своим упорным трудом и самоотверженностью.

Однажды Архимед, опускаясь в ванну, обратил внимание на то, что его нога в воде стала легче. И тут его осенило — он открыл закон, согласно которому на тело, погруженное в жидкость, действует выталкивающая сила, равная весу вытесненной им жидкости.

Архимед закричал: «Эврика!» По-гречески это означало: «Нашел!»

Исаак Ньютон как-то раз увидел яблоко, падающее с яблони, и его настигло великое озарение — он открыл Закон всемирного тяготения.

Дмитрий Менделеев однажды во сне вдруг увидел периодическую таблицу химических элементов.

Клеопатра — Екатерина II — Алла Пугачева

Клеопатра
(69—30 до н.э.)
Египетская царица.

Екатерина II
(1729—1796)
Российская императрица.

Алла Пугачева
Российская певица.

В первой книге «Откровения Ангелов-Хранителей. Начало» мы уже рассказывали о прошлых жизнях Аллы Борисовны Пугачевой. Кем ей только не приходилось быть в прошлом — тибетским монахом, египетской танцовщицей, знатной дамой, вождем племени, придворной дамой.

В своей самой первой жизни Пугачева была египетской царицей Клеопатрой. Не в каждой своей жизни даже великому человеку удается достигнуть мировой славы. Сейчас у Аллы Борисовны девятая жизнь на этой Земле. Лишь в трех жизнях она сумела подняться на вершину власти (Клеопатра — Екатерина II — Пугачева), в остальных других перевоплощениях она была гораздо менее известным человеком.

Итог прошлой жизни оказывает влияние на то, что ждет тебя в жизни будущей. Напротив, известны случаи, когда больших высот добивается обычный ранее человек.

Аристотель — Данте — Зигмунд Фрейд — Цой

Аристотель
(384—322 до н.э.)
Древнегреческий философ и педагог

Данте Алигьери
(1265—1321)
Итальянский поэт. Родился во Флоренции. Автор «Божественной комедии», в которой повествует о сво-

ем путешествии в загробный мир дает описание Ада Рая и Чистилища.

Зигмунд Фрейд
(1865—1939)
Австрийский психолог, основатель психоанализа.

Первым предложил новый метод лечения психических заболеваний с помощью гипноза. Его работы «Введение в психоанализ», «Толкование сновидений» и др. произвели настоящую революцию в психиатрии.

Виктор Цой
(1962—1990)
Российский певец и композитор.

Невероятно сильная творческая личность, добившаяся успеха в самых различных областях — он был и поэтом, и ученым, и философом, и композитором.

Виктор Цой был феноменально одаренным человеком, он не сочинял песни, не мучился над каждой строкой или нотой, они сами из него лились целым потоком, и ему приходилось только успевать их все записывать. Все его творчество — целиком от Бога, нельзя сказать, что у Виктора Цоя есть хотя бы одна слабая, бездарная песня.

Уважаемые читатели!

И вновь мы сегодня посетили ваш дом вместе с любимыми Ангелами-Хранителями, чтобы рассказать вам то, что Они нам поведали.

После окончания работы над пятой книгой нам показалось, что это наше лучшее произведение. Но после того, как Ангелы начали давать информацию для шестого тома, сразу стало понятно, что новая книга по сенсационности и успеху превзойдет все предыдущие.

Как говорят Ангелы-Хранители, в пяти предыдущих книгах дана лишь сотая часть того, что предстоит узнать людям от своих Небесных Покровителей в ближайшие двадцать лет.

Многое из того, что в наших книгах кажется сейчас вам чересчур неправдоподобным, получит научное подтверждение. Ученые начнут делать одно открытие за другим, и каждый раз люди будут с изумлением убеждаться в правоте Ангелов-Хранителей.

Пятая книга далась нам очень тяжелым трудом. После окончания работы нам хотелось отдохнуть два-три месяца. Ангелы-Хранители сперва обещали нам этот отдых, но уже через один день снова начали давать информацию на очередную книгу.

Эти книги очень нужны всему человечеству, поэтому нам не дают возможности делать длинные перерывы в работе.

Но и нет сил, чтобы все сделать быстро, между получением информации на шестую книгу и тем моментом, когда мы сели ее обрабатывать, прошло три долгих месяца. За это время в нашей жизни произошло много событий — и радостных, и горестных и о них нам велели рассказать наши Небесные Покровители. В седьмой книге «Письма из прошлого» мы расскажем о том, кому были предназначены три письма Мишеля Нострадамуса, французского астролога, врача и предсказателя.

Как, оказывается, приятно получать ежедневно ту информацию, которая необходима не только нам, но и всем тем, кто нам поверил.

Каждый день Они потихоньку приоткрывают занавес, за которым столько всего интересного и полезного. Но слишком большим трудом это все дается, уже нет того желания писать и работать так, как это было во время работы над первой книгой. И только ваши письма, идущие со всех концов земного шара, дают нам необходимый заряд для работы.

Они дают нам дополнительную информацию, а ваши вопросы, заданные нам, дают возможность получить ответы от Ангелов-Хранителей и донести их через книги до всех страждущих.

Хочется сказать вам всем огромное спасибо за ту доброту, которой пронизано каждое ваше письмо, за ваш совместный титанический труд (более двенадцати тысяч писем за два года), за ваше желание знать все больше и больше.

Здравствуйте, Любовь Ивановна и Ренат Ильдарович!

Прочла Ваши четыре книги, для меня это потрясение. Я из семьи баптистов, где всегда читали Библию и чтили Бога.

В Бога я верила и верю по сей день, а вот принять их вероисповедание не смогла. Во мне все бунтует, не принимает душа.

Когда мне бывает плохо, хожу в православную церковь. Я крещеная.

Ваши книги приняла и душой и сердцем.

Плакать тянет сильно, но на душе светло и тепло.

Спасибо Вам за то, что Вы есть, и низкий поклон до Земли за Вашу теплоту и любовь к людям!

Ольга Семенова

г. Билфильд, Германия

Здравствуйте, уважаемые Любовь Ивановна и Ренат Ильдарович!

Пишет Вам письмо Бабенко Алла Леонидовна из города Кировограда. Мне 42 года. Работаю в школьной библиотеке средней школы № 32.

Снова решила написать Вам письмо и выразить слова благодарности за прекрасные и необыкновенные Ваши книги — «Откровения Ангелов-Хранителей».

Очень они своевременны и необходимы людям. Настолько широко и глубоко охватывают многие вопросы жизни, что, я думаю, эти книги просто должны стать настольными книгами для каждого человека.

И на Земле, любимой и родной,
Появится такое поколение.
И будет доброта царить, надежда и любовь
И самые прекрасные на свете впечатления,
Что ты любить всегда и всех готов!

Бабенко Алла
г. Кировоград

...Я прочитал Ваши четыре книги. И очень хочу, чтобы их прочитал каждый. По возможности буду их дарить. Так хочется изменить мир в лучшую сторону.

Я верю, что добро и любовь никогда не покинут нас!

Очень хочу помочь своим родным и близким людям. Жизнь преподносит нам большие испытания.

Спасибо очень большое Вам и Ангелам!

Барышников Дмитрий
г. Магнитогорск

Здравствуйте, уважаемые Любовь Ивановна и Ренат Ильдарович!

Меня зовут Сабаев Андрей, мне 24 года, живу в городе железнодорожников — Ртищево. Недавно я познакомился с Вашими книгами из серии «Откровения Ангелов-Хранителей». В настоящее время я учусь на машиниста тепловоза и бываю дома только по выходным, и вот уже три недели по выходным я читаю эти бесценные книги.

Прочитал я только четыре книги, и каждая написана очень легким языком: так, книги «Крест Иисуса» и «Любовь и жизнь» я прочитал буквально за один день. Несколько сложнее мне далась книга «Начало», и то только в разделах, касающихся магии и потусторонних сил.

Но легкость изложения — это не самая главная особенность. Содержание книг. Вот то, чего я так долго ждал. Ваши книги можно считать «жизненными учебниками», сдав экзамен по которым, следуя советам которых, можно считать себя человеком.

Если раньше при коммунизме была идеология, по которой воспитывался человек и на которую он опирался, то сейчас эту идеологию отняли, а другую не дали. Вот люди и покатились.

Мне кажется, что только вера в Бога поможет России, причем духовное богатство намного важнее материального.

Ваши книги, Ренат Ильдарович и Любовь Ивановна, способны поддержать людей, дать им какое-то светлое чувство, чтобы очистить их душу.

Прочитав первую книгу, я сначала засомневался, конечно, не в Вашем даре ясновидения, Любовь Ивановна, а в тех деталях, которые описывались: оболочка Ада, Рая, имена Архангелов, жизнь Атлантиды, Тунгусский метеорит. Но чем больше я «прокручивал» в голове все это, тем больше я понимал, что это правда.

Книга «Жизнь и любовь», несомненно, очень нужное издание. Изучив этот «учебник», мамы, папы, учителя, воспитатели смогут заложить в душу ребенка очень много хорошего и полезного. Многие люди смогут понять, полюбить друг друга.

Мне просто не хватает слов, чтобы выразить то, что творится у меня в душе. Вы, Любовь Ивановна и Ренат Ильдарович, люди, Богом избранные. Пожалуйста, продолжайте писать эти книги. Чем больше книг будет, тем больше людей их прочитает. А я уверен, что в каждой черной душе человека, прочитавшего Ваши книги, непременно прорастет светлое зернышко, которое есть в каждом человеке.

С уважением Сабаев Андрей
г. Ртищево Саратовской обл.

Здравствуйте, уважаемые Любовь Ивановна и Ренат Ильдарович!

Пишет Вам Роман Смольняков из Казани. В первую очередь хочется от всей души поблагодарить Господа Бога и Ангелов-Хранителей за то, что они послали нам таких добрых и чистых душой людей, как Вы. Ну и конечно, хочется поблагодарить Вас за терпение и поистине титанический труд, который Вы оелаете.

У меня просто не хватает слов выразить Вам свою благодарность.

Ваши книги перевернули всю мою никчемную жизнь. Заставили по-новому взглянуть на этот невероятно сложный мир, на свою собственную жизнь. Я как бы взглянул на все это глазами Небес.

Признаюсь Вам честно, сначала я отнесся к написанному с недоверием, даже усмехался, читая. Но то было вначале. Потом все изменилось. Я прочитал 1,2,3 и 5 Ваши книги.

От прочитанного я был просто в шоке, и это еще слабо сказано. Особенно после прочтения 5-й книги «Откровения Ангелов-Хранителей. Рай или Ад». Как будто какая-то невидимая пелена спала с моих глаз, и я увидел мир таким, какой он есть на самом деле.

И знаете, я принял эту правду на все 100%. В ваших книгах я увидел истинного Иисуса Христа, в которого я верю как в своего Господа и Спасителя.

Я познал, что есть жизнь человека и в чем ее смысл. Я понял, как устроены Рай и Ад. Узнал, что наша человеческая логика и логика Небес очень сильно различаются между собой.

И это все только с Вашей помощью, родные мои. Нет, нет, я не описался. Вы действительно за это короткое время стали для меня по-настоящему родными духом. Теперь я точно знаю, что в этом мире есть хорошие люди, что я не одинок в моих поисках Бога и истины. Как бы мне хотелось встретиться с Вами, поговорить о вещах, о которых не решаюсь говорить с обычными людьми.

Ваши книги пробудили во мне самые высокие духовные порывы, какие я испытываю достаточно редко. Вы, Любовь Ивановна и Ренат Ильдарович, Вашими благословенными Богом книгами спасли мою душу, вырвали ее раз и навсегда из лап дьявола. Огромное Вам за это спасибо.

Еще хочется поделиться с Вами своими снами. Многие свои сны я всегда считал не просто «ночными кинофильмами», а нечто большим. В них я живу.

Это моя вторая жизнь, даже где-то более интересная, чем эта — земная. Я верю, что человек живет сразу в двух мирах — в реальном мире, здесь на Земле, и в мире невидимом — мире снов.

Иногда я вижу особенные сны, истолковать которые мне трудно. В своих снах я бывал и в Раю и в Аду (Чистилище). Чистилище соответствует тому описанию, какое Вы даете в одной из своих книг. Оно очень похоже на канализацию, только там более мрачно и жутко.

Иногда во сне видел и демонов. Иногда они пытались меня поймать, зарезать ножом. Я боролся с ними, они издевались надо мной.

Ангелов я как таковых не помню, чтобы видел их, возможно, я просто забыл об этом. Бывал я и в Раю. Там очень красиво, солнечно. Голубое небо над головой. Душа наполнена легкостью, любовью. На улице там вечный май. Это был очень красивый город. В нем было столько гармонии, какую в обычной жизни не встретишь.

Там я общался с «иностранцами», но язык я их понимал Было очень удивительно слышать чистейший русский язык от чернокожего американца. Все там мне было как-то удивительно знакомо. Как будто я бывал там раньше. И ведь действительно, наверное, бывал.

Это просто удивительно. Потому что я видел эти сны еще задолго до прочтения Ваших книг, которые я, кстати, тоже приобрел почти случайно.

С уважением Роман Смольняков
г. Казань

Здравствуйте, дорогие и милые мои Ренат и Любаша (можно я так буду Вас звать)!

Мне 57 лет. Ушла на пенсию. Сейчас занимаюсь домом и своим внуком. Очень люблю читать. И вот сейчас я читаю Вашу пятую книгу «Откровения Ангелов-Хранителей. Рай или Ад».

Не знаю, что со мной. Читаю и плачу. То ли это слезы радости оттого, что я познаю, то ли слезы горечи оттого, что поздно все познаю!

Но на сердце легко оттого, что я точно знаю — все мы под Богом. Он нас любит, а мой Ангел-Хранитель — всегда со мной. И каждый раз в своей молитве я благодарю своего Ангела-Хранителя и прошу Ангелов-Хранителей моих детей и внука беречь их. И я поняла: не надо их просить, их надо слушать. Мы еще не научились этому, а жаль. Ведь они рядом, любят, берегут.

Дьяченко Людмила Анатольевна
г. Пермь

...Книга «Откровения Ангелов-Хранителей» Р. Гариф-зянова и Л. Пановой меня просто потрясла. Она простая и доходчивая, она нужна всему человечеству, в том числе и нам с мужем. Мы ее читали, бросив все дела.

Эта книга как луч света в темных умах человечества, растерявшего все обычаи, веру, все молитвы, все родовое. Мы все как после летаргического сна вдохнули в себя правду о том, что было когда-то за семью замками. Дай Вам Бог доброго здоровья на долгие лета для нашего же блага.

Любовь Ивановна, Вы в моих глазах и глазах читателей женщина-загадка, познавшая то, что нам недосягаемо. Надеюсь, что Вы научите нас любви к ближним, к братьям нашим меньшим, к природе и всему, что окружает нас повсеместно.

Читая эту книгу, чувствуешь, как очищается душа, светлеет, добреет, усовершенствуется ежеминутно. Ее живой эликсир несет белую чистую энергию в организм человека. Все черное исчезает, наступает блаженство. Эта книга способна научить людей совестливости и благоразумию.

С уважением,

семья Макшановых
с. Огнев Майдан Нижегородской обл.

P.S. Высылаю Вам материнскую молитву, которая спасала наших солдат в Великую Отечественную войну. Эту молитву дала мне моя тетя, которая всю жизнь отдала служению Богу. Опубликовав ее, Вы дадите возможность всем матерям мира молиться за своих детей, этим спасая их души.

Материнская молитва

Господи Иисусе Христе Сыне Божий молитва ради, Пречистая твоей Матери. Услышь меня, недостойную рабу свою Раису (имя матери).

Господи, в милостивой власти Твоей чада наши рабы твои (имя детей), помилуй и спаси их имени Твоего ради.

Господи, прости все согрешения, вольные и невольные, совершенные ими перед Тобою.

Господи, настави их на путь истинный Твоих заповедей и разум их просвети светом твоим Христовым во исполнения души и исцеления тела.

Господи, благослови их в доме, в пути, в дороге и на каждом месте владычества.

Господи, сохрани их под Твоим святым кровом от пули летящей, стрелы, яда, меча, огня, потопа, от смертоносной язвы и от напрасной смерти.

Господи, огради их от всех видимых и невидимых врагов, от всяческих бед, зол и несчастий.

Господи, исцели от всех и всяких болезней, очисти от всякой скверны и облегчи их душевные страдания и скорби.

Господи, даруй им благодать духа Твоего Святого на многие лета жизни во здравии и целомудрии, во всяком благочестии, любви, мире с окружающими их людьми, ближними и дальними.

Господи, умножи и укрепи их умственные способности и телесные силы, Тобою дарованные им на благочестивое деторождение.

Господи, даруй и мне, рабе Твоей (имя матери), и всем родителям, молящимся за чад своих рабов Твоих (имя детей). Наше родительское благословение в наступившее, наступающее время утра, дня, вечера и ночи, имени Твоего ради. Ибо царство Твое вечно, всесильно и могущественно.

Господи, помилуй, Господи, помилуй,
Господи, помилуй, Господи, помилуй,

Господи, помилуй, Господи, помилуй,
Господи, помилуй, Господи, помилуй,
Господи, помилуй, Господи, помилуй,
Господи, помилуй, Господи, помилуй,
Аминь.

...Вначале я прочитала вторую книгу «Откровения Ангелов-Хранителей. Путь Иисуса», а через два дня «случайно» проехала в метро свою остановку и на переходе к своей станции на книжном лотке была и первая книга.

Я тут же ее купила и в поезде начала читать. Я с трудом сдерживала слезы до своей остановки, читая Вашу книгу. Выйдя из метро, я уже не могла сдержать слезы и не просто слезы, а рыдания, и поэтому до дома уже шла пешком.

Я несколько раз начинала читать Ветхий Завет, но дальше четвертой книги Моисея дело не шло. Прочитав вторую книгу об Иисусе Христе, я поняла, что мне мешало читать Библию.

Не могла я согласиться с тем, что Бог может быть так кровожаден и жесток, что Он желал убийств людей и жертвоприношений животных, что Он сам же нарушал Свою заповедь «Не убий».

Мне очень хочется прочитать Библию, но не только прочитать, но и прочувствовать. И Ваши книги мне, надеюсь, в этом помогут.

Бог Вам в помощь!

Буду с нетерпением ждать встречи с Вашими новыми книгами.

С огромной любовью к Вам

Фадеева Галина
г. Москва

Здравствуйте, дорогая Любовь Ивановна!

Даже не верится, что настигла меня удача, если это можно так назвать. Моя удача — это то, что Вы существуете!

Раньше, когда я читала о Ванге, то жалела, что никогда не смогу к ней попасть. Потом ее смерть. Уже тогда я жалела о том, что нет книги, специально написанной для меня. Что делать? Как правильно поступить в какой-то сложившейся ситуации?..

И не я нашла Вашу книгу — это она нашла меня! Реву, каюсь, соглашаюсь, молюсь, нахожу ответы на свои вопросы, нахожу удивительные подтверждения моим давним мыслям — и опять реву и благодарю Вас, Любовь Ивановна и Ренат Ильдарович, благодарю Ангелов и всю силу Небесную за то, что все Вы есть!!!

Пьянкова Н.П.
г. Новоуральск Свердловской обл.

Здравствуйте, уважаемая, любимая, дорогая, родная Любовь Ивановна!

Хочу от всей души поблагодарить Вас за то, что Вы на многие вещи открыли мне глаза. Мне всего 16 лет, и именно благодаря Вам я уверена, что в своей дальнейшей судьбе смогу избежать многих ошибок, поэтому заранее благодарю Вас и, конечно, своих любимых Ангелов-Хранителей.

Честно говоря, я уже встречалась с Вами, и Вы произвели на меня потрясающее впечатление. И мне бы очень хотелось быть похожей на Вас, любящей всех людей. Именно благодаря Вам я стараюсь работать над собой, улучшить характер и лучше относиться к окружающим.

— Вы пишете в Ваших бесценных книгах: «Самое великое счастье — это любовь», именно поэтому от всего сердца желаю Вам получать от окружающих людей очень, очень, очень много тепла, доброты и, конечно, огромный, нескончаемый поток любви, ведь Вы отвечаете тем же.

Огромное за все спасибо, я просто влюблена в Вас!

Марченко Катя
г. Краснодар

Здравствуйте, уважаемая Любовь Ивановна!

С наилучшими пожеланиями, а особенно крепкого здоровья, удачи и успехов в Вашей трудной и нелегкой работе, к Вам ваш знакомый поклонник и читатель Толик.

Что же это наше солнышко приболело, видимо, много черной энергетики приходится брать на себя. Но ничего, думаю, мы, читатели и поклонники Вашего таланта, которые излучают светлую добрую энергию, поможем Вам если не сдержать, то хотя бы уменьшить напор черноты.

Вы все больше становитесь известной и популярной, и к Вам все труднее дозвониться, а попасть на прием еще сложнее.

Сейчас вот пишу письмо, а сам думаю, то ли прочитаете, то ли очередь не дойдет, ведь почта к Вам мешками идет. Но раз пишу, значит, этого желают мои Ангелы-Хранители.

Любовь Ивановна, немного напишу о себе. Я был у вас два раза в 2001 году. 25 июля, в первый день приема, я приезжал с сыном Ильей.

Впечатление бесподобное и незабываемое. Когда Вы вызвали Ангела-Хранителя, а это был мой меньшой брат Юра, я заплакал и зарыдал от волнения.

А связь у меня с ним сильная в пятой жизни он был моим отцом, а выходит, в седьмой жизни, зная свою судьбу (то есть что родится больной и рано, в 11 лет, умрет), он все-таки пожелал воплотиться в образе моего меньшего брата.

Вспоминая детство наше с ним, я помню — он скучал и тосковал по мне, когда я уезжал на лето к тете. И я смерть его тоже очень тяжело перенес.

Мы беседовали с Вами минут 40, Вы еще тогда сказали, что, мол, обычно на сеансах я устаю сильно, а вот с вами, наоборот, отдохнула.

Потом и сына приняли минут на 20. Огромное Вам спасибо за встречу.

Да и с сыном мы отдохнули в святом месте. Ночь ночевали у соседей напротив, накупались в горной реке. А 25 июля утром возле реки голышом побегали по росе, это ведь был день Прокла, день великой росы. С глубоким уважением.

Толик

п. Новоберезанский Краснодарского края

Здравствуйте, Любовь Ивановна и Ренат Ильдарович!

Вот прочитала уже пятую Вашу книгу. Смешанное чувство: это и открытие мира, и шок, и даже немного ужас. Все по-другому теперь. Мои мысли в голове — это хаос какой-то.

И плачу часто, читая Ваши книги, сравниваю свою жизнь и понимаю, что что-то в ней не так. все неправильно и исправить уже ничего нельзя. Просто плыву по течению жизни, куда повернет.

Вышла замуж по любви, а теперь пустота, безволие, полное подчинение и неуверенность в себе, замыкаюсь, мне одной не скучно.

171

Спасает вязание, а иногда и не спасает. Но Ваши книги теперь мои настольные. Много раз их перечитываю, анализирую, сравниваю, прихожу в ужас от этого, потом немного успокаиваюсь и думаю, что то, что сейчас есть, — это моя вина.

Где-то я ошиблась, кого-то обидела, оскорбила, теперь пожинаю плоды. Единственное, что хочется, — это чтобы мои дети были более счастливы.

Но сыну уже 28 лет, а он один. Дочери немного повезло, она живет с любимым человеком, и скоро у них родится малыш. Хочется уехать, все бросить и уехать куда-нибудь, но боюсь.

Везде сейчас трудно живется, скитаться где попало не очень хочется. Я знаю: Бог есть — это Он оградил моего сына от Чечни. Я верю в Ангелов-Хранителей, но, наверное, не слышу Их. Может, я найду в себе силу воли и изменю свою жизнь.

Пишите, пишите всю правду, какой бы неприятной она ни была для людей. Кто-то все равно задумается, а кто-то отбросит Вашу книгу в сторону и скажет: «Чушь!»

Вашу первую книгу я многим давала читать, но как ни странно, Ваши книги между собой не обсуждают, как это делают при прочтении других книг. Наверное, все-таки что-то заставляет человека думать и сравнивать, и ему не хочется высказывать свое сокровенное, свое тайное, которое знают только он и Ангелы-Хранители.

После прочтения Ваших книг хочется быть добрее, но не всегда это получается. На Рождество в этом году хотела помочь девочке в покупке инвалидной коляски, предложила небольшую сумму, но не застала того человека, через которого должна была передать деньги, а потом эти же деньги потратила на пустяки.

Теперь часто вспоминаю, что сделала неправильно, думаю об этом все время — надо теперь отдать в два раза больше, но пока нет такой возможности.

Пусть даже через год, но я найду эту девочку и выполню свое обещание, найду такую возможность. Я знаю, у меня не будет такой возможности поговорить с Ангелами-Хранителями в этой жизни, как у многих, которые в них верят, или не верят, или вообще ничего не знают о них.

Но я буду стараться прислушиваться к себе. Попробую своим детям подсказать об этом, пусть они чаще читают Ваши книги. Ведь у них еще все впереди и еще не поздно что-то исправить.

Будьте счастливы и здоровы.

С уважением Людмила Ивановна
г. Нерюнгри, Республика Саха

Уважаемые Любовь Ивановна и Ренат Ильдарович, здравствуйте!

Очень взволнована, прочитав Ваши первые три книги. Вы с помощью Ангелов-Хранителей открыли мне заново Иисуса Христа, Он стал передо мной не библейским, а очень родным мне человеком.

Я по образованию врач, теперь на пенсии, есть возможность читать — меня очень интересуют вопросы медицины. Меня ведь учили «умные репрессированные евреи» — из Казани, из Ленинграда. Как я их сейчас понимаю, когда они вслух кричали: «Есть только Лысенко, нет никакой наследственности!», а сами шепотом втай-

173

не говорили, что Бог есть, и лечили больных молитвами. За это их и сослали в Караганду при Сталине.

Меня крестил наш батюшка Севастьян — ныне покойный (он участвовал в создании молитвы Оптинской пустыни). Недавно его канонизировали. Вспоминаю его очень яркий взгляд глубоко больного человека (мне было тогда 5—6 лет, это я теперь как врач понимаю). Может быть, он теперь мой Ангел-Хранитель?

Я все-таки довольна жизнью, хоть и не богата. Хотела бы как-то сказать спасибо своим Ангелам-Хранителям.

С уважением Рожкова Нина Васильевна
г. Караганда, Казахстан

Уважаемая редакция нашей любимой газеты «Жизнь». Очень хочется обратиться к Вам с просьбой напечатать это письмо в Вашей газете, так как по ней видно, что ее читают хорошие люди.

Когда мы прочитали серию книг Любови Ивановны Пановой и Рената Гарифзянова «Откровения Ангелов-Хранителей» и пообщались лично с этой необыкновенной женщиной, просто не можем не поделиться своими впечатлениями.

Прочитав серию книг Любови Ивановны Пановой и Рената Гарифзянова «Откровения Ангелов-Хранителей», понимаешь, что это бесценный подарок от наших с вами Небесных покровителей, которые решили через Любовь Ивановну приоткрыть завесу некоторых тайн человечества.

И это настоящее чудо, что теперь при помощи Любови Ивановны можно обратиться к своим Ангелам-Хранителям и услышать от них ответы на свои вопросы.

174

И это стало возможным благодаря Любови Ивановне Пановой. Именно ее Бог наградил этим удивительным даром быть посредником между Ангелами и миром людей. Именно ей выпала честь и бремя стать связующим звеном между ними и нами.

Можно с уверенностью сказать, что встреча с этой необыкновенной женщиной — это соприкосновение с чудом.

Первое впечатление от ее вида? Мистического ничего. Обычная женщина в обычной одежде, только на голове повязан платок цвета неба, который она по велению Ангелов-Хранителей должна носить.

Самые необычные и удивительные у Любови Ивановны глаза — это бездонное море доброты, в которых видно душу. Любовь Ивановна видит тебя со всеми твоими проблемами.

И если есть разрешение от Ангелов-Хранителей, она всеми силами старается помочь и всеми силами взять на себя всю боль от измученного человека.

Но упаси Боже к ней прийти с хитросплетениями, неверием или же с желанием кому-то сделать зло. Эти глаза с бездонным морем доброты и понимания вмиг превращаются в штормующее море со всеми вытекающими отсюда последствиями.

Попасть на прием к Любови Ивановне нам было нелегко. Было очень много машин из разных регионов России. Но всех ждало разочарование: Любовь Ивановна прием вести не будет, так как она уехала оформлять документы для поездки в Индию по приглашению индийского ламы.

Почти все разъехались, узнав, что приема не будет. Мы же решились ждать, авось повезет. И не напрасно.

Наше терпение было вознаграждено. Приехав домой, Любовь Ивановна смогла уделить нам время. И вот Любовь Ивановна пригласила нас зайти во двор — мы попали в сказку.

По периметру кирпичного забора, через небольшие расстояния построено что-то вроде теремков, где живут фазаны, павлины, утки, куры, каждые в своем вольере.

По другую сторону — ухоженные клумбы с красивыми цветами, в конце двора — жилье, где живет Любовь Ивановна. Прямо в центре двора на деньги от реализации книг идет строительство детского дома. «Это будет пока небольшой дом на несколько детей, но пусть хотя бы им повезет, — говорит Любовь Ивановна. — Построю детдом и затем хочу построить небольшой дом для престарелых. Но большее я не осилю, ведь у нас с Ренатом только один процент на двоих идет от продажи книг».

Она вообще за то, чтобы состоятельные люди лелеяли не породистых кошечек и собачек, а взяли бы на воспитание бездомного ребенка. Разве не заслуживает он этого более, чем животное? Насколько меньше было бы тогда зла на Земле. Любовь Ивановна сама воспитывает приемную дочь и любит ее как родную.

В начале общей лекции для всех сразу, а нас дождалось 8 человек, Любовь Ивановна сразу же предупредила всех, что плату за свою помощь она не берет. Говорит, что «мне это запрещено Высшими Силами, давшими мне пророческий дар и способности целителя. Они мне ясно дали понять, что полученное бесплатно бесплатно должно отдаваться, иначе я лишусь того, что имею».

Большинство тех, кто берет деньги за пророчества, лгут, истину за деньги не купишь. Даруется она лишь тому, кто душою чист. После продолжительной лекции начался личный прием, который Любовь Ивановна ведет в миниатюрном теремке, у входа в него издают мелодичный звон тибетские колокольчики.

Почти все пространство комнаты занимают письма от читателей книг с просьбами о помощи и с благодарностями. Это говорит о том, что книги стали просто необходимы людям.

Из книг «Откровения Ангелов-Хранителей» мы узнали об устройстве мира и всей Вселенной, кто мы и зачем мы на этой земле. Из второй и третьей книг узнаем о подлинной истории жизни Иисуса Христа. И еще о многом другом, всего здесь кратко не описать, это надо читать сами книги.

Единственное, что хочется сказать: жалко, что эти книги не были написаны раньше.

Благодаря им можно было бы избежать многих неприятностей и ошибок в своей судьбе и судьбе своих детей.

«Ведь человек, — говорит Любовь Ивановна, — существо самопрограммируемое. Он способен сформировать свое будущее с помощью собственных мыслей. Кто о чем мечтает, у того оно в конце концов и сбывается.

Думайте только о хорошем, и у вас будет так, как Вы пожелаете. Будете постоянно ждать беды, она неминуемо вас найдет. Причем произойдет именно то, чего Вы опасаетесь».

А вот как наши покровители объясняют закон шахмат. После хода черных обязательно следует ход белых. Так и у людей не бывает сплошных радостей или несчастий.

Все чередуется, за черной полосой идет белая. Иначе просто не бывает, будь ты хоть семи пядей во лбу, неприятности в твоей жизни обязательно будут. Это закон природы.

Просто так бесплатно в этой жизни ничего не дается никому. За все нужно или отработать, или отстрадать. Поэтому нет людей абсолютно счастливых или здоровых. Еще в древности удачливые люди, получив хорошую прибыль, часть суммы тратили на благотворительность.

Лучше пожертвовать самому, не дожидаясь, пока это произойдет само собой. Когда Вы это делаете добровольно, то Вы как бы совершаете ход за черных в этой шахматной партии под названием «ваша жизнь».

Таким образом, следующий ход за белыми. Получается, что Вы как бы понесли расходы и проскочили черную полосу в вашей жизни.

Обо всем этом и о многом другом полезном для себя и семьи можно узнать из книг «Откровения Ангелов-Хранителей». Прочитав эти книги, человек становится добрее и милосерднее, учится прощать обиды.

Те счастливчики, которые прочитали книги, называют их азбукой жизни, энциклопедией, которая должна быть в каждом доме.

Для многих откроется заново смысл жизни. Обидно только, что нет у Любови Ивановны стационарного телефона. Ведь не у каждого и не всегда есть возможность приехать к Любови Ивановне. А при наличии телефона можно было бы позвонить.

Мы думаем, что при помощи Ангелов-Хранителей наше письмо будет напечатано и его обязательно прочтет власть имущий человек, который захочет помочь бедным и скорбящим людям и изыщет возможности провести телефон Любови Ивановне в станице Переправная.

Заканчивая наше письмо, мы хотим передать огромное спасибо Любови Пановой и Ренату Гарифзянову за их необычный и нелегкий труд. И пожелать им здоровья, счастья и благополучия в их жизни.

С искренней благодарностью и уважением

Раиса Андреева и Валентина Сизенко
г. Усть-Лабинск Краснодарского края

Вот такую статью я послала в газеты «Жизнь», «Околица», «Кубанские вести».

Уважаемая Любовь Ивановна!
Нашу семью постигло такое горе, которое просто трудно выразить, погиб наш сын в Чечне, Василенко Ярослав Евгеньевич, 1983 года, родился 30 октября.

Ушел в армию в 2001 году, и вот до дембеля осталось три месяца, и он оказался в боевых точках Чечни. При выполнении задания подорвался на мине. Погиб он один, а остальные были тяжело ранены.

Служил во Владикавказе, а почему оказался в боевых точках, объяснили, что он дал согласие сам.

Это был прекрасный внешне и внутренне сын, добрый и отзывчивый, любящий сын.

Это страшный удар в сердце. Мы не живем, а существуем. Привезли его тело два человека из части, рассказали в общих чертах о случившемся, везли его 12 дней, поэтому посмотреть на него не смогли, так как сказали, что он начал разлагаться, и посоветовали не вскрывать гроб. И моего сыночка не видели.

Прочитали Вашу книгу «Ангелы-Хранители», перечитывали по нескольку раз. Любовь Ивановна, мы поняли, что Вы очень добрая, сердечная женщина, обладаете не-обыкновенным даром входить в контакт с Ангелами-Хранителями.

Очень просим Вас поговорить с душой нашего сына: как это произошло, что его толкнуло пойти в Чечню? Как ему там, на Небесах, это нам так важно знать. Остался у нас еще один, старший сын, Василенко Дмитрий Евгеньевич, родился он 18 сентября 1973 года, судьба его неблагополучная, жена его предала.

Если Вас, милая женщина, не затруднит, скажите нам в двух словах — как сложится его жизнь и можно ли что-нибудь с ней сделать, чтобы она наладилась?

Я с мужем разной веры — он христианин, а я мусульманка, молимся за Ярослава каждый по-своему, не отражается ли негатив на душе нашего Ангела?.. Мы не успели его покрестить, так что он у нас ушел из жизни некрещеный.

Помогите нам, пожалуйста, мы очень верим в Вас.

С глубоким уважением Римма Нургалиевна
и Евгений Ярославович Василенко
пос. Пурпе, Ямало-Ненецкий национальный округ

Здравствуйте, дорогие мои, любимые Любовь Ивановна и Ренат Ильдарович!

Уже после прочтения мной Вашей первой книги в моей душе произошел настоящий переворот. Я и раньше верила в Бога и Ангелов-Хранителей, но Ваши книги во сто крат увеличили мою веру.

Как я была слепа... Скольких бед и неприятностей, ошибок я могла бы избежать, если бы знала все это раньше. Может быть, и жизнь моя сложилась бы совсем иначе, хотя, если честно, я ни о чем не жалею.

*Я счастлива тем, что имею сейчас. Ни на какие со-
кровища мира я не променяла бы этого.*

*Все Ваши четыре книги стали для меня подарком судь-
бы. Я неоднократно возвращалась к ним, как к учебникам
жизни. И вот теперь еще один подарок — «Рай или Ад»,
ваша пятая долгожданная книга.*

*Все Ваши мысли, высказанные в ней, явились продол-
жением моих. Я всегда мечтала, чтобы все люди были
счастливы, чтобы каждый человек принял в свое сердце
Бога и понял, что если не любить, не верить ни во что,
мы просто вымрем.*

*Однажды, когда я прочла Вашу первую книгу «Нача-
ло», я увидела сон. Вы, Любовь Ивановна, и Ренат и я
сидели за одним столом и о чем-то беседовали. Но о чем
шла речь, я не помню. Только после увиденного у меня
возникло сильное желание написать Вам. Сейчас, когда
пятая книга лежит передо мной, моя рука сама «бежит»
по листу бумаги и пишет Вам:*

Спасибо, Ангел мой Хранитель,
За то, что рядом ты со мной,
Что свою светлую обитель
Ты поменял на путь земной,

Что, где бы я ни находилась,
Ты опекаешь жизнь мою,
За мое детство, мою юность,
За молодость — благодарю.

Спасибо за минуты счастья,
Подаренные мне судьбой,
Что беды все и все ненастья
Меня обходят стороной.

Спасибо, Ангел мой хороший,
За то хочу тебя обнять,

Что мне помог расстаться с прошлым
И жизнь по-новому начать.

И хоть совсем не замечаю
Прикосновенья твоих рук,
Что рядом ты, я точно знаю,
Ты для меня спасенья круг.

А в час, когда бывает трудно,
Нет сил и кругом голова,
Ты снова совершаешь чудо,
Внушая мне, что я — жива.

С любовью и благодарностью

Гумерова Наталья
г. Пермь

Здравствуйте, дорогая, милая, Любовь Панова!

Сегодня утром прочитала Вашу пятую книгу «Рай или Ад». Спасибо Вам!

У меня такое чувство, что я встретилась с Богом. Я счастлива!

Простите меня за то, что прошу Вас помочь мне. Я семь раз лежала в психиатрической больнице. Врачи не могут мне помочь, говорят, что у меня шизофрения.

Но ведь все, что со мной происходит, началось после того, как я сильно уверовала в Бога и крестилась.

Мне было тогда 25 лет. Сейчас мне 32 года, но я не живу, я мучаюсь. Опять ложиться в больницу я не хочу. Хочу жить нормальной человеческой жизнью. У меня такое чувство, что у меня очень слабая аура. Потому что я чувствую взгляды. Даже чувствую бесов.

Можно это назвать отрицательной энергией. Я Вам уже послала одно письмо, но Вам, наверное, некогда отвечать.

Приехать я к Вам не могу. У меня нет денег, и мама не пускает. Сейчас я на второй группе инвалидности. Ответьте мне, пожалуйста, что мне дальше делать? Как укрепить свою ауру?

Почему я чувствую бесов? И вообще зло? Иногда чувствую, как злая энергия проходит в окна моей комнаты. И нет сил так больше жить.

Мне нужна Ваша помощь. Вы для меня Бог, посланец Бога. И я верю, что на это письмо Вы ответите. Потому что мой Ангел-Хранитель ответит мне! Аминь!

С наилучшими пожеланиями

Ахметова Марина Валиевна
г. Советск, Калининградская обл.

Люблю, верю всем сердцем Вам!
Вы для меня вторая мама!
Пусть никогда Вас не коснутся печаль и боль!
Мы все вместе с Вами. Мы Вас любим!
Дорогой мой Ангел-Хранитель!

Милая, дорогая Мариночка, сестренка младшая моя!

Конечно, не ответить тебе я не могу, твои страхи напрасны, ты абсолютно здоровый человек. Твоя вера приоткрыла тебе твою истину, и ты, столкнувшись с ней, испугалась и не выдержала. Твоей веры было недостаточно, чтобы принять на плечи свои весь груз бремени.

Сейчас тебе смогут помочь твоя вера в Ангелов-Хранителей, твои молитвы твоему Небесному Покровителю Николаю Угоднику и уверенность в том, что Бог тебя не оставит. Он нас всех любит, не наказывает нас, и если мы страдаем духовно или физически, все это нужно принимать за плату, отдав которую мы сможем получить от Бога еще большие блага для нашей души.

Я верю в тебя, в твои силы и буду вместе с тобой молиться и просить у Бога скорейшего обретения тобой душевного покоя.

С любовью, твоя старшая сестра Любовь.

Уважаемая Любовь Панова!

У меня нет возможности к Вам приехать. А мне крайне необходимо узнать, кто мои Ангелы-Хранители, есть ли они у меня.

Мне очень нужно узнать, какие жизненные пути у меня есть. Я понимаю, что виновата во всем я, я не хочу возмущаться и реветь. Это бесполезно. У меня непростой характер, я заслужила плохую жизнь, видимо.

Я прошу ради моего 4-летнего сына. Ради него я хочу стать лучше. Я стараюсь, но у меня не всегда получается. Сейчас я могу предложить Данечке (его имя мне беременной назвали во сне, я считаю, ему имя дал Бог) только нищету, отсутствие мужчины, который мог бы стать ему отцом.

Родители помогают, но за эту помощь я плачу жутким унижением. Мне было очень трудно простить отца, понять мать. А может, я перед ними виновата?

Уважаемый секретарь! Я понимаю, мое письмо не выглядит криком души, но, поверьте, это так. Любовь Панова — моя единственная надежда. Мне 43 года, у меня осталось очень мало времени, чтобы помочь своей душе.

Для меня и это очень важно. Не навредить своей душе. Пытаться, но я не знаю как.

Уважаемая Любовь Панова! Вам пишут много благодарных слов, стихов. Все мои догадки нашли подтверждение в Ваших с Ренатом с благословения Ангелов книгах. Поклон до Земли.

Умоляю, помогите! Я не понимаю — почему, когда стараюсь делать добро, люди крайне негативны. Не понимаю, почему всю мою жизнь надо мной смеются, обзывают, за спиной сплетничают.

Вот последняя капля: поставила в церкви свечки за здравие моих соседей по коммуналке, от души за них помолилась. чтобы не обижали моего сына и меня, и на следующий день моя собственная мать поливала меня грязью с моей соседкой.

Я попросила соседку из общего коридора убрать половики грязные и пыльные — у моего сына аллергия, в частности на пыль.

Соседка объявила мне войну. Что я делаю не так, не понимаю.

Хочу узнать:

1. Кто мои Ангелы-Хранители?

Ваш Небесный Покровитель Серафим Саровский и все Ваши близкие умершие, о ком Вы храните память в своей душе.

2. Есть ли у меня варианты жизни?

И не один, но самый лучший — это встреча с мужчиной старше Вас на три года (вдовец), которая перевернет всю Вашу дальнейшую с сыном жизнь. Вас будут понимать и оберегать.

3. От светлых сил или темных талисман, который я ношу вместе с крестом? Его я приобрела как защиту от зла.

Вреда он Вам не причиняет, но и пользы нет. Но Вам нужно определить — или крест, или талисман, всё вместе это просто несовместимо.

Галина Сергеевна
Екатеринбургская обл.

Здравствуйте, Любовь Ивановна и Ренат Ильдарович!

Много раз порывалась написать Вам, читая и перечитывая каждую книгу. Читала запоем и не могла дождаться новой книги. Из Ваших книг я получила ответы на многие мои вопросы. Знание пробудило в душе радость, восторг, слезы умиления.

Я благодарю Вас за это Божественное знание. Каждая Ваша книга — это драгоценная, бесценная жемчужина Прозрения. Вы делаете Великое Дело. Дело по спасению наших душ.

И Вы правы, что пятая книга «Рай или Ад» — необыкновенная книга. Она потрясла меня до основания. Книга сняла камень с моей души. После гибели моей духовной половинки, Александра Ивановича Лебедя, я винила себя, что из-за страха не предотвратила его смерть.

18 апреля 2002 года я была в церкви и хотела заказать Особую молитву о Здравии моей духовной половинки.

И вдруг меня охватил ужас, и такой, что я ушла из церкви. А когда 28 апреля Александр Иванович погиб, то я вспомнила сон от 18 марта 2002 года, когда он высадил меня из большого черного лимузина и велел добираться на метро.

Я стала убиваться, что струсила и не спасла его. Теперь я понимаю, что решение Небес я не могла отменить. На душе стало немного легче. А я в этот день чуть не умерла в автобусе по дороге на кладбище к сыну.

186

Из Вашей книги я поняла, что меня оставили на Земле для ухода за тяжелобольной мамой.

Я ждала перехода в мир иной с 18 марта 1998 года, когда во сне черный мужчина увел меня к воротам кладбища и отобрал мои часы, но я ушла от ворот.

Мне часто снятся вещие сны, касающиеся меня и моих родных. Сны сбываются через некоторое время. Во сне мне показывают, чем занимается мой супруг в Москве, о чем он думает.

Я стараюсь молиться за своих родных, и иногда это помогает. Мне это показывают во сне. Я молюсь и о моей половинке. Александр Иванович приходит в мой сон и предупреждает меня о гипертонических кризах, чтобы я приняла меры.

Я чувствую его настроение, что его волнует. Когда он был на Земле, я чувствовала его сердечную боль, и потом у меня самой болело сердце. Подскажите, пожалуйста, как я могу ему помочь?

Любовь Ивановна и Ренат Ильдарович, я рада, что Вы объясняете важность общения с Ангелами-Хранителями. Я вижу своего Ангела-Хранителя.

Он молится вместе со мной и делает по сорок поклонов во время Великого Поста. Но к сожалению, я не достойна чести слышать своего Ангела-Хранителя. Хотя когда я обращаюсь к возлюбленным Архангелам и Ангелам, Они мне помогают.

Возлюбленный Архангел Михаил спас меня и весь наш огромный дом в Москве от бури поносимой. Вокруг дома не обломилось ни одной веточки, хотя в 50 метрах вокруг были повалены огромные деревья, побиты гаражи и машины.

Возлюбленные Ангелы помогли мне купить дешевые ботинки, такие, какие я описала Им мысленно.

Я, Соловьева Антонина Васильевна, родилась 5 июня 1945 года в г. Куйбышеве. Спросите, пожалуйста, о моих *ошибках и как их можно исправить, если еще можно. Сколько жизней я прожила и как могу помочь Александру Ивановичу Лебедю?*

Любовь Ивановна и Ренат Ильдарович, простите меня, грешную и, пожалуйста, помогите мне.

Спасибо вам за все. С признательностью

Антонина
г. Самара

Милая Антонина, как я Вас понимаю! Однажды, когда мы еще только писали первую книгу и у меня еще не было такого опыта общения с Ангелами, я была в Государственной Думе, уже освободилась и прохаживалась по коридору, поджидая знакомую корреспондентку газеты. Вдруг я обратила свой взгляд на дверь, на которой была табличка: «Рохлин Лев Яковлевич».

«Войди предупреди моего внука, его ждет опасность, а веры в Бога истинной у него нет, я не могу помочь ему отсюда», — услышала я просьбу его покойной бабушки по отцовской линии. Я растерялась и не знала, как мне поступить, не знала, что сказать, когда я войду к нему в кабинет. Тогда, если кто-то спрашивал у меня, чем я занимаюсь, я сама не могла объяснить, что я делаю, за меня всегда говорили мои друзья. Дважды я порывалась открыть дверь, но так и не смогла, на третий раз дверь открылась сама, из нее вышел Рохлин, он бросил на меня беглый взгляд, улыбнулся и прошел мимо. Через день его не стало, но я вижу его перед собой, как будто все это было вчера.

Когда мне позвонили и спросили, что ждет Лебедя Александра Ивановича на выборах в Красноярском крае, Ангелы ответили, что победит он в два тура, но в будущем его ждет большая неприятность. Ее можно избежать, если об этом сообщить ему или его жене лично.

Я все время боялась того, что сильные мира сего подумают, что я пытаюсь завести с ними связи таким образом. Поэтому, когда я была на чествовании Александра Лебедя по поводу получения им награды, в дни празднования в Москве двухсотлетия со дня рождения Александра Сергеевича Пушкина, сидя за одним столом, я не смогла предупредить его об опасности. Вскорости Ангелы запретили мне лезть в политику.

Но смерть Сережи Герлица заставила меня на многое посмотреть иначе. Когда они собрались ехать с моего двора, их предупредили не ехать в ночь, они не послушали, тогда им велели проехать четыре часа и недолго отдохнуть, они вновь не послушали, через четыре часа двадцать минут произошла авария. Пока я ехала до этого места таких три долгих часа, я обещала Ангелам в будущем не думать о том, что скажут и подумают люди обо мне, зная об опасности, предупредить, несмотря ни на что, и тех, кто верит, но не хочет слушать, и тех, кто не верит. Быть предупрежденным — значит быть спасенным, в тот день Ангелы предупреждали Рената, он и остался жить, Сергей слышал, но так и не услышал, сев за руль машины. Больше того, Сергей не раз говорил, что было бы здорово принять смерть, разбившись на машине, раз — и нету.

Когда шла работа над пятой книгой, я и предположить не могла, что ждет меня через несколько месяцев, все шло так хорошо, что я совсем забыла: у Ангелов сбывается все, о чем они говорят, и плохое тоже, только у Бога нет времени, и сказать точно день иногда нельзя, но какие события последуют за этим, знаешь точно.

Антонина, когда Вы прочтете шестую и седьмую книги, Ваши вопросы сразу найдут ответы и Вы еще многое для себя узнаете, как я узнала.

Здравствуйте, Любовь Ивановна, Ренат и все Ангелы-Хранители, помогающие нам, людям, с Вашей помощью обрести смысл нашего существования.

Очень многие из живущих на Земле задумываются о причине своего появления на свет, часто мучительно не находят ответа.

Раньше и я искала ответы на свои вопросы у Рерихов, у теософов, в книгах Анастасии, у психологов, у Лазарева и т.п.

Во время чтения многое казалось совсем понятным, потом проходило время и все опять всплывало в вопросительной форме, число вопросов не уменьшалось, а наоборот.

Библию называют Книгой Книг, но, начав ее читать, я не смогла дальше найти в себе силы перелистывать страницы, не хотелось больше черпать информацию из этого источника, потому что я не готова, так, во всяком случае, я думала.

И вот жила я так, ни хорошо ни плохо. Умела быть счастливой, летала в облаках, больно ударялась о землю, всегда считала себя везучей.

Это было до тех пор, пока не ушел из земной жизни после трагической гибели мой единственный и очень любимый восемнадцатилетний сын.

И вот тут-то я сильно отчаялась. Не хотелось верить в реальность произошедшего. Ситуацию невозможно было изменить и избежать было уже поздно.

А мне ведь только 40 лет, или уже 40! У меня не будет внуков! Жить нужно было, но уже самой по себе. В голове всплывали картины из детства Николашки. И я все пыталась найти причины уже прошлых бед.

*Почему ошиблась в выборе для него отца? Почему маль-
чик родился раньше положенного срока? Почему был веселым, жизнерадостным почти до двух лет, но вдруг — как
гром среди ясного неба — детский церебральный паралич,
инвалидность, было так больно и тяжело на душе.*

*Но со временем страхи улеглись. Ребенок двигался,
развивался, стал любознательным мальчиком. Очень любил слушать сказки, не засыпал без книжек. Пришло время идти в школу. Опять проблемы. Мы с трудом и этот
этап в жизни пережили.*

*Но став подростком, Николашка совсем отказывался
ходить в школу. Я не знала, как ему помочь, разговоры с
другими родителями не приносили пользы. Насильно за-
ставлять учиться было не в моих пониманиях.*

*Жизнь тем временем шла своим чередом. Но мальчик
не вырастал из своих проблем, стал попадать в неудач-
ные ситуации, правда, все оканчивалось на первый взгляд
благополучно.*

*Будто бы кто-то невидимый помогал ему. Теперь я
думаю, что это был его Ангел-Хранитель. Пришел день
10 марта 2003 года, ничем не приметный, не предвещав-
ший ничего особенного, но именно он стал для меня самым
ужасным днем в жизни.*

*Николашка ушел от меня в мир иной. Я не знала, что мне
теперь делать, как себя вести. Чувствовала за собой вину во
всем случившемся, но что я должна была делать в этой ситуации, я толком не понимала, не могла признать себя верующим человеком, хотя более 10 лет пела в церковном хоре.*

*И вот моя соседка, тоже тяжело переживавшая тра-
гический уход моего сына, предложила прочитать первую
из Ваших книг — «Откровения Ангелов-Хранителей. Начало».*

191

Вся полученная ранее информация о смысле бытия как бы разложилась по своим местам. Жизнь перестала казаться такой бессмысленной, законченной, лишенной счастья и радости. Стали появляться светлые мысли после прочтения книг об Иисусе Христе. Мне раньше думалось, что этого человека не существовало на самом деле — все это религиозный собирательный образ.

А тут я с такой невероятной силой поверила в этого чудесного человека. Слезы градом катились из глаз. Сколько незаслуженных мучений и страданий перенес Иисус. Что мое горе по сравнению с его жизнью?

Я поняла, что смогу жить дальше! И даже смогу простить убийцу сына, хотя до этого времени, пока Ваших книг не читала, мне очень трудно было это сделать. Я знала, что нужно уметь прощать врагов, но сердцем это сделать нелегко.

Вот только я в одном не смогла найти ответ: в чем же моя вина, что сын ушел из земной жизни в 18 лет от рук убийцы? Мне всегда казалось, что роднее и любимее Николашки для меня никого нет. В последнее время он не хотел мне многое доверять, а ведь я знала, что у него не все ладится, но не знала и не смогла найти способ помочь ему.

Простите, что письмо получилось объемным по размеру, но душа трепещет.

И в конце сказанного низкий поклон Вам, Любовь Ивановна и Ренат Ильдарович, за то, что Вас выбрали Ангелы-Хранители. Ваши книги помогли мне обрести силы к жизни, легче пережить свою трагедию, по-другому посмотреть на окружающий мир, научиться терпению и вновь любить людей и любить нашего ОТЦА НЕБЕСНОГО.

Спасибо ВАМ огромное, счастья, удачи во всех начи-
наниях, Вы нужны человечеству. С огромной признатель-
ностью

Светлана Захаровна Лопатина
ст. Кавказская, Краснодарский край

Ваш сын, Светлана, ушел так рано, чтобы Вас спасти и самому быть спасенным, он этого у Бога заслужил. Придя на землю чистым ребенком, Николашка
получил программу от людей, которую у Бога он не
заслужил. Жизнь его здесь должна была быть без болей
и страданий, и в том, что случилось, нет Вашей вины,
здесь вина тех, кто окружал Вас и его, но как их не
простить, если они сами не ведали, что творили.

Здравствуйте, уважаемые, дорогие Ренат Ильдаро-
вич и Любовь Ивановна!

Огромное бесконечное вселенское ВАМ спасибо за эти
чудеснейшие книги (особенно за пятую).

Это невозможно передать словами, как действуют
эти книги на людей!

Сколько они несут в себе добра и тепла!

Я просто не в силах это описать — не могу найти
слов.

Мне 18 лет, и я все это время не жила — я существо-
вала, бесцельно несла свою жизнь, подаренную великодушно
мне Господом.

Мне так из-за этого стыдно. Какие-то мелочи каза-
лись мне глобальными проблемами! Так нельзя было, и
теперь я это понимаю. Мне больно за то, что я не могла
одуматься раньше, перед моими глазами словно была пе-
лена плотного дыма, за которой я не могла распознать

истину, которую Вы со своими соратниками несете людям.

Как я Вам благодарна! Быть может, если бы это произошло раньше, я бы не чувствовала себя такой одинокой. Вы даже не представляете (а наверное, представляете), какие мысли приходили ко мне в голову.

Я понимаю, что, конечно, не одна я такая, и ВАМ приходится отвечать огромному количеству людей. Но если честно, я не могу этого не написать, надо высказаться. С самого начала, как я прочитала книги, я загорелась желанием непременно встретиться с вами и поговорить. Но мама говорит: «Зачем ты туда поедешь? Там и без тебя народу хватает».

И я подумала: «Напишу я лучше письмо».

Хочу признаться, мне очень хочется узнать имя своего Ангела-Хранителя, но не знаю, как это сделать. Я очень хочу познать себя, своего Ангела-Хранителя и узнать свое предназначение. Наверное, я очень глупая, если не могу ничего понять сама. Но мне очень хочется узнать все это, и я думаю, что я к этому готова.

Простите меня, пожалуйста, если заставила Вас о чем-то побеспокоиться. Желаю огромного вселенского счастья ВАМ, Вашим детям и внукам, пусть у них все будет хорошо — я верю в это.

Спасибо отдельное Ренату, он тоже сделал много добра, взявшись за эти книги. Спасибо всем. Я вас очень люблю.

Лиза, г. Ростов-на-Дону

Уважаемые Любовь Ивановна и Ренат Ильдарович! Пишет вам Буслов Кирилл, мне 14 лет. Ваши книги бесподобны!

194

Нет, не думайте, это письмо не хвалебная поэма. Нет! Это крик, крик моей души!

Я уже писал Вам, но ответа так и не получил. Думаю, потому что не верил. Но теперь — да! Прочитав пять книг, можно увероваться окончательно и бесповоротно! И я могу сказать Вам — я ВЕРЮ!

Еще с самого раннего детства я чувствовал несовершенство этого мира и не раз серьезно задумывался об этом. Все мои 14 лет меня преследует жгучее желание — все изменить. Любой ценой! Революцией! Бунтом! Войной! Но моя душа (скорее Ангел-Хранитель) говорит мне, что все должно решаться мирным путем, и Ваша вторая книга это подтвердила, ведь так хотел сам Иисус!

Для меня самый мирный путь — это послания. Почти каждый день я пишу руководства по изменению мира.

Я не хочу публиковать эти записи, я хочу оставить их потомкам. Возможно, когда-нибудь после моей смерти люди найдут этот архив и опубликуют его.

Я надеюсь, что в людях заговорит что-то и они поймут истину! Не имеет смысла описывать Вам мои послания, потому что если Вы заинтересуетесь, то всегда можете спросить об этом у Ангелов-Хранителей.

Я оказался в затруднительной ситуации. Крещен я как православный, а после переезда в Германию я католик. Конечно, Вы можете сказать, что Бог един и что это все равно, но...

Но я хочу посвятить себя служению Господу, то есть стать католическим священником. Тогда у меня появится возможность на проповедях читать свои архивы. Для того чтобы стать католическим священником, я должен перекреститься, и чем раньше, тем лучше.

Хочу спросить Вас и Ангелов-Хранителей, что мне делать?!

По поводу гневного письма, опубликованного в пятой книге, могу сказать только одно: не обращайте внимания!

Но и это еще не конец, хочу спросить Вас и Ангелов-Хранителей об одном сне, который приснился мне года два назад. Подробности я уже не помню, но опишу главные события.

Сон: «Бегу я от своей матери по школе и слышу ее голос. Подбегаю к зеркалу и смотрюсь туда, а в зеркале мое тело, а лицо Иисуса Христа (как с Туринской плащаницы). И голос мужской: «Теперь ты — Иисус!» И тут мое лицо становится снова моим, и здесь меня догоняет мать, и мы идем домой».

Прошу ВАС, если Вы захотите мне ответить, то напишите мне лично, пожалуйста!

Если захотите, то можете поместить мое письмо в книге, если это имеет смысл.

И если это возможно, то напишите, кто является моим Ангелом-Хранителем, моей мамы, брата? Не могли бы Вы написать, кем мы были в прошлых жизнях, наши установки в нынешних?

С Верой в Ваши силы и даже с благословением, будущий, пока 14-летний, отец Кирилл!

Кирилл Буслов
г. Ротенбург, Германия

Здравствуйте, Любовь Ивановна и Ренат Ильдарович!
Огромное Вам спасибо (я даже не могу передать эти чувства словами) за Ваши книги. Дай Вам Бог за это много-много любви. Любовь — это добро, а добро — это все. Сперва попалась мне пятая книга, и не успел я даже половины прочитать, как...

Вы не поверите, я на самом деле почувствовал большую радость и легкость, но и огромную тяжесть за всех нас (за то, насколько мы черны).

Вы мне дали вспомнить мою единственную детскую мечту. Мне тяжело было, да и сейчас нелегко, оттого, что многие лживы и коварны. Меня очень сильно тянуло в небо, что где-то там по-другому, без лжи и все счастливы. Чувства были такими сильными, что в обратное ни за что не верил.

Огромнейшее Вам спасибо за Ваш труд. Я очень рад за Вас. Я могу передать Вам это чувствами, но не словами. Я теперь понял, почему я родился маленьким, полуторакилограммовым, комочком. Еще раз спасибо Вам, дорогие.

Если найдется у Вас пара минут для меня, хочу узнать только одно. Я живу с женщиной уже четыре года (еще не расписаны), у нее трое детей. Меня очень волнует, смогу ли я им помочь. Сам я из Молдавии, хотел бы жить в России.

Дай Бог Вам здоровья!

Солкуцан Юрий Георгиевич
п. Капнери, Республика Молдова

Здравствуйте, Любовь Ивановна!

Даже и не думала, что буду писать такой Великой женщине, как Вы. А к написанию этого письма меня подтолкнула Ваша пятая книга.

В моей жизни сейчас наступил не самый лучший период. Болезни навалились на меня — обильное выпадение волос, заболевание щитовидной железы и, как следствие, нервные срывы с родными; неустроенность личной жизни — я до сих пор не замужем.

Я прекрасно понимаю, за что мне это — это расплата за мои грехи, которых у меня за мои 29 лет накопилось предостаточно. Несколько дней назад всерьез думала о том, что хорошо бы напиться снотворного и не проснуться.

А на следующий день, когда я возвращалась из больницы, проходя мимо рынка, увидела Вашу пятую книгу (первые четыре у меня есть). В тот момент, когда меня глодали черные мысли, мои дорогие, любимые Ангелы-Хранители, как спасательный круг утопающему, посылают Вашу книгу. После прочтения просила прощения у Бога и у Ангелов-Хранителей, читала Псалтирь, стало гораздо спокойнее на душе.

Когда речь в книге заходит об Ангелах-Хранителях, у меня текут слезы. Это выходит самопроизвольно. С мамой происходит то же самое.

Вряд ли мне когда-нибудь удастся побывать у Вас. Такую награду надо заслужить, я думаю. Но мне очень важно узнать о моих Ангелах-Хранителях?!

И если Вы сейчас держите мое письмо в руках, значит, и мои Ангелы-Хранители хотят, чтобы я их узнала. Я им безмерно благодарна.

Смею надеяться, что Вы не оставите мое письмо без ответа.

Низкий поклон Вам, сил и терпения в Вашем нелегком и нужном деле!

Князева Татьяна
г. Куйбышев Новосибирской обл.

Здравствуйте, уважаемые Любовь Ивановна и Ренат Ильдарович!

Это уже не первая моя попытка пообщаться с Вами, возможно, и этот листок бумаги затеряется где-то в пути или так и останется лежать, забытый мной.

Для меня теперь это не важно. Может, просто мой Ангел-Хранитель в другом варианте донесет до меня ответ: кто я, зачем я, в чем моя миссия? Лечить, учить, воспитывать детей или что-то еще?

Кто-то мне сказал однажды, что я не реализовала себя на 80 процентов. Так это или нет — не знаю.

Но ощущение неудовлетворенности не покидает меня, сколько себя помню. Если о себе, то мне 45 лет, по специальности я врач, кандидат медицинских наук, работаю доцентом в вузе, параллельно занимаюсь нетрадиционными методами лечения при помощи компьютера. Имею двух детей. Старшему в июле будет 20 лет, учится в Питере.

Младшей, Наталье, нет еще четырех с половиной лет. Она пришла ко мне в 41 год, как особый Божий подарок.

Но она мой главный учитель: безмерно любящая, ранимая и всепрощающая. «Я тебя ждала всю жизнь», — говорит мне она. А сколько жизней я ее ждала? Или сколько жизней были мы вместе?

В жизни у меня было много разных подарков, учителей и уроков, за которые я благодарна судьбе.

Эти уроки иногда казались мне адом, а те, кто клялся в любви, — палачами.

Теперь я искренне говорю Небесам спасибо за слезы, душевные страдания, разочарования, потому что получилось видеть и солнце, и звезды, слышать детский смех, могу оценить молчаливую поддержку друзей. А главное, я научилась прощать и жить без обид. Даже тетя моя после смерти пришла ко мне во сне, словно прощения просить за все, что сделала против меня.

При жизни она никогда не просила прощения ни за что, считала себя во всем правой, а тут была такой несчастной, подавленной, даже глаз не могла на меня поднять.

Как я была удивлена, увидев ее такой!

Но я не о том... Другое мучает меня, был период, когда я медитировала и делала это с такой легкостью и радостью. Вы поймете меня, мой восторг, то, что я видела, не описать!!!

В земной жизни нет ни таких цветов, ни сооружений. И лотоса не увидишь, какой я видела.

Я видела себя с Наташкой, как мы брели по берегу океана, а волны ложились под ноги, плескались весело, и моя дочь с распущенными волосами обгоняла их. Я ощущала воздух, слышала прибой.

Но самое удивительное было не это. Однажды я очутилась в огромном зале, где я застыла, словно муравей, у одной стены, пораженная размерами сооружения. И вдруг прозвучал голос: «Встань на колени и вытяни руки!»

Я подчинилась, но подняла голову вверх и увидела огромный солнечный шар на противоположной стене. Он сиял, но не жег глаза.

«Кто Вы?» — спросила я. И услышала: «Я Тот, кому Вы молитесь!»

В мои ладони при этом он положил такие же солнечные монеты, которые сверкали, но боли не было.

Что это было?

Я часто вспоминала свои «экскурсии» туда. Наверное, я была безграмотной и неблагодарной. Бог закрыл для меня этот канал, остались лишь одни воспоминания и иногда сны.

Свою жизнь я проживаю с судьбой транзитного пассажира, у которого сейчас пересадка на другой поезд. И я его жду, вот он подойдет к перрону, и я с облегчением

*расстанусь с «сегодня» и поеду в «завтра», к счастью,
куда позовут меня судьба и сердце. Спасибо моим Ангелам-Хранителям за эту дорогу и Вам за то, что Вы встре-
тились на этом пути. Успехов Вам и огромное спасибо! С
уважением*

Анциферова Наталья Владимировна
г. Мичуринск

Дорогая Наталья, Вам снился наш Создатель, монеты, которые Он Вам передал, — это не что иное, как Ваш
дар помощи людям в исцелении, чем Вы и занимаетесь.

Вы, наверное, очень удивитесь, но Ангелы говорят, что
мы все едем домой и у каждого из нас свой вагон: у кого-
то купе, у кого-то плацкарт, а кто-то вообще на подножке,
каждый из нас сойдет на своей станции, а вот какой будет
эта станция, зависит только от каждого из нас, от того, как
мы будем себя вести в своем путешествии.

Здравствуй, дорогая Люба!
*Прочла пятую книгу. Большое, огромное спасибо за
Ваш труд с Ренатом! Какие Вы молодцы!*
*Знаешь, Любушка, обидно, что такие люди пишут —
как та «верующая женщина». Ею руководила обычная
зависть — как же ей, такой «истинно верующей», не
сподобилось, а этой...*
*Такие люди несут свою веру как флаг и любят себя в
вере, а не Бога. Уже видно, что ожидает эту женщину.
Но как хорошо, что они у нас есть. Проще любить человека и прощать его, если и он тебя любит, а вот таких,
что разбивают наши сердца, очень сложно.*
*Дай Бог этой женщине осознать свою ошибку и по-
просить прощения вовремя.*

Я уже писала, Любушка, тебе письмо, оно было очень сумбурным. У меня 3,5 года назад открылся этот дар — я пишу то, что мне диктуют. В первом письме я спрашивала, зачем все это...

Ты помогла мне своими книгами многое понять, определиться. И вот после прочтения пятой книги сообщили мне Ангелы-Хранители — я посетовала на то, что ты одна и у тебя столько всего еще нужно осуществить, и вот какой я получила ответ: «Любаше нужна помощь, для этого мы и пытаемся работать с другими, но у многих гордыня и сверхисключительность затмевают основную цель.

Во-первых, не все выдерживают испытания, которые посылаются, чтобы проверить, сможет ли человек выносить потом страдания чужих людей.

Только пройдя беды, материальные лишения, свою собственную боль, он может понять другого человека и помочь ему. У многих людей в моменты испытаний кончается вера, идти дальше, помогать, нести слово людям могут единицы, но испытания длятся постоянно, и человек, казалось бы, достигнув, как ему кажется, высшей точки, падает вниз.

Так как это ежедневный труд и постоянный — и если ты встал на этот путь, — ты не можешь в отличие от тех, кому не дано сказать: я всего достиг, я могу отдохнуть, — это работа без отдыха, без отпуска, это твоя жизнь.

Но чем больше веры и чем больше света ты несешь людям, тем больше богатств копишь нематериальных.

Тем ближе ты к выполнению задачи, которую Бог возложил на каждого человека.

Ты можешь написать Любе еще одно письмо. Мы думаем, что теперь это будет совсем другое письмо».

«Мне что, ей помощь предложить? Кто я и кто она?»

«Перед Богом все равны, у Вас свои задачи — Вы можете помогать друг другу, и нужно помогать, иначе будет трудно, поодиночке всегда трудно.

Помнишь, мы говорили о помощи на местах? (У нас была такая тема.)

Да.

Так вот, можно же не ездить в Россию всем, кому можно и нужно помогать на месте. Тем более источник у Вас один — ты стоишь в начале пути, но пьете воду Вы из одного источника.

Она мастер, ты ученик, но дорога одна. Мы все заинтересованы в том, чтобы помочь Любе, а с таким объемом ей трудно справиться.

Поэтому нужно объединить Вас в сеть, ты не одна, есть еще люди, но в других странах. Еще одна проблема — люди других национальностей больше зацеплены за материальное, поэтому нам проще работать с русскими людьми, запас души у вас больше — бескорыстие, милосердие у вас в крови.

Мы работаем со многими людьми, и у них задачи связаны прежде всего с национальными особенностями, но русские — внуки Божьи. Поэтому Вас рассеивают по всей земле как семена.

Но гордиться этим не нужно, так как все люди выполняют свою задачу и отвечают за определенное состояние организма — Земля.

Это как органы в Вашем теле. Поэтому мечта Ваша о том, что Ангел будет приходить по вызову, как домашний врач, не так уж и нереальна.

203

А начинаете Вы — у кого есть возможность переда-
вать наши сообщения. Поэтому пиши, с Богом, письмо,
мы тоже этого ждем».

Вот такое очередное сообщение. Любушка, может,
да и скорее всего меня искушает лукавый. Проще, навер-
ное, когда тебе передала что-то бабушка или еще кто-
то, если ты видела это с детства и понимаешь все.

Гораздо сложнее, когда получаешь уже в сознатель-
ном возрасте и не знаешь — здоров ли ты?

Может, это мое воображение? Ты — единственная,
кто может меня понять и подсказать: действительно ли
все так?

Надеюсь на твою помощь и твою поддержку. Готова
к любому ответу. Если это искушение, немедленно бро-
саю все, пусть помогут тебе Ангелы.

И еще коротко об одном из последних необычных снов,
пожалуйста, если ты найдешь возможность, объясни:

«Толпа людей с мертвенно-бледными, застывшими ли-
цами. Сверху идет кошмар — рожи, чудовища, — я бегаю и
кричу: «Люди, надо молиться!» — бужу людей, затем опус-
каюсь на колени и молюсь как могу: «Господи, помилуй!»

А вокруг творится ужас, а затем лица людей ожива-
ют, все начинают молиться, и кошмар проходит. Небо
светлеет, солнышко, и будто кто-то улыбается».

Дорогая Любушка, здоровья тебе, сил, любви. Господь
с тобой! С уважением

Галина Кауфманн
г. Мерциг, Германия

Дорогая Галина, я очень рада твоему письму, сбывается то, что обещали Ангелы: многим будет открыта истина, но каждый к ней придет своей дорогой, то, что есть

во мне, есть у каждого человека — умение общаться со своим Ангелом-Хранителем, умение слышать подсказки своих родных, уже ушедших от нас, не в тот момент, когда мы безмерно скорбим о них, беспокоя их, а тогда, когда начинаем верить, что они нас видят, любят нас и молятся за нас, и Их молитвы будут услышаны скорее Всевышним, чем наши, так как Они теперь ближе к Богу. Но если в сердце человека нет истинной веры во все это, так на какую помощь он может рассчитывать? Чтобы помощь получать, нужно хотя бы верить тем, от того ты ее ждешь.

После смерти бабушки прошло девять лет, и когда меня обижали, я никого не проклинала, молча сносила обиды и, только оставшись одна, плакала от несправедливости и просила: «Бабушка, забери меня отсюда, я не хочу больше жить, я так устала».

И однажды я увидела сон: шла огромная толпа незнакомых людей, у края дороги стоял деревянный топчан и там спала моя бабушка, я наклонилась над ней и стала плакать, что она опять уезжает и бросает меня одну, бабушка открыла глаза, посмотрела на меня и сказала: «Господи, опять это ты, как я от тебя устала, если хочешь, ложись и поехали вместе». Я могла подойти к ней только с одной стороны, как подхожу на кладбище, рядом схоронен дедушка.

Я уже занесла ногу, чтобы лечь, как вспомнила о сыне и стала просить взять и его. На что бабушка ответила строго: «Ты с ума сошла, брать такого маленького в такую дорогу, а если не можешь без него, уходи и не плачь больше, ты не даешь мне покоя».

Этот сон дал мне уверенность, что уже когда-то мы с ней встречались и она так же уходила, что душа ее живет, но ей плохо от моих слез. И когда я перестала плакать, через четыре года бабушка сама заговорила со мной. Моя вера, что она живет и все знает обо мне, дала ей возможность передавать мне сначала скупую информацию, затем все серьезнее и серьезнее, а когда я выдержала испытания, посланные мне свыше, я научилась не только слышать, но и видеть предстоящие события, и помогает мне в этом теперь Ангел-Хранитель, Тот, Который пришел в этот мир со мной для моего спасения.

И это может произойти с любым, в ком живет вера и желание познать истину не себе во благо, а во благо другим, как это произошло с Галиной и еще со многими другими и будет происходить, особенно многое откроется детям.

Здравствуйте, уважаемые Любовь Ивановна и Ренат Ильдарович!

Случайно купил Вашу книгу в магаданском аэропорту перед вылетом в Москву. Думал просто скоротать время за долгие восемь часов полета. Как правило, в общественных местах я не могу внимательно читать, а тут просто не замечал ничего вокруг.

Книга перевернула всю мою жизнь. Здесь, на далекой Чукотке, в маленьком селе люди коренной национальности (чукчи, эвенки) только слышали о Боге. Но верит в Бога в лучшем случае 1 процент.

Об Ангелах-Хранителях, я уверен, практически не знает никто, поэтому на эти темы я ни с кем не говорю, так как боюсь встретить непонимание и насмешки. Я некрещеный, но мне ближе всего православная церковь. И я обязательно окрещусь.

После прочтения Ваших книг (1 и 3 томов) я многое понял, но есть еще вопросы, которые здесь, в Омолоне, просто некому задать. И найти ответы, я думаю, смогу только в Ваших книгах. Я писал в издательство «АСТ», чтобы мне присылали Ваши книги по почте, но ответа нет. Письмо с заказом я опускал в Москве в конце марта этого года.

Я надеюсь, что Вы поможете приобрести все Ваши книги по почте. Буду очень благодарен и счастлив.

Дай Вам Бог здоровья и долгих лет жизни! С уважением

Вувтагин Владислав
г. Магадан

Владислав! К сожалению, мы вам не можем помочь в приобретении книг, так как сами покупаем их в магазине. Вы можете приобрести книги по почте, отправив заказ по адресу: 107140, г. Москва, а/я 140.

Уважаемые Любовь Ивановна и Ренат Ильдарович!!!
Уважаемые все Ваши помощники!!! Дай Бог Вам всем здоровья, спасибо за то, что Вы есть, за Ваш труд, за любовь и доброту к людям!

Пишет Вам жительница г. Тольятти, мне 48 лет. Хочу выразить благодарность всем Вам и особенно Ангелам-Хранителям, что позволили нам, простым людям, через Вас понять, осознать, задуматься о своей жизни. Узнать много полезного, необходимого, нового из Ваших книг.

Сначала мне дали почитать первые две книги, которые произвели на меня огромное впечатление, я их прочитала на одном дыхании, но этого мне было мало.

Я купила для себя и прочитала более осмысленно, с нетерпением ждала следующую книгу. Это теперь мое жизненное пособие, я вновь и вновь обращаюсь к ним, перечитываю интересующие моменты. Эти книги заставили посмотреть на свою жизнь другими глазами, ответили на многие мои вопросы.

Кстати, я пробовала читать Новый Завет и Библию, но это было очень сложно, а Ваши книги просты и понятны. Одно лишь жаль, что их не было в мои 10—12—15 лет, скольких можно было бы избежать ошибок в жизни, прочтя их.

Но тогда им, наверное, рано было бы появиться. Мы росли безбожниками (особенно в городах), хотя многие крещеные. Нас воспитывало Советское государство, а оно отвергало Бога.

Я как-то спросила маму: «Есть ли Бог?» «Не знаю, дочка, старые люди говорят — есть, молодые — нет, одно скажу: если есть Бог, то слава Богу, если нет Его — то Бог с ним». Вот с такой верой я и росла, особо не задумываясь о Боге и Ангелах.

(К сожалению, так жили и продолжают жить большая часть россиян. — Примеч. авт.)

И как Вы, Любовь Ивановна правы, когда нам плохо или очень чего-нибудь надо, мы обращаемся к Богу, а получая это, забываем поблагодарить Его. Под впечатлением всего прочитанного у меня появилось неоспоримое желание написать Вам, я написала после второй книги, но постеснялась отправить, а после пятой книги вновь не удержалась.

Я чувствую, что Вы, Любовь Ивановна, как моя старшая сестра, которую я потеряла и вот нашла. И хочется так много рассказать, поделиться, посоветоваться, поплакаться и порадоваться с Вами за все то время, что мы не виделись.

Поверьте, это крик, зов души, а не лицемерие! И еще, дорогая Любовь Ивановна, мне хочется узнать имена Ангелов-Хранителей — своего и моих близких, чтобы обращаться к ним, как друг к другу, а не просто как к пространству.

Я не знаю, допустят ли Ангелы-Хранители мое письмо к Вам, но я точно знаю, что, написав и отослав его, мне будет легче на душе.

Так позвольте написать о себе и моих близких. И я хочу начать с мамы. И Вы поймете почему.

Первый ребенок в большой деревенской семье, следующие дети — каждый год да через год, большое хозяйство, работа в колхозе. Поэтому дети, особенно мама, росли без особой родительской ласки и любви, лишь бабушка их очень ласкала.

Самые тяжелые годы — это годы войны. Мама в 16 лет стала работать трактористкой. Когда слушала рассказы маминых братьев и сестер и самой мамы, сколько ей пришлось вынести, было и больно, но была и гордость за маму. Тяжелая работа, особенно весной, в пахоту, когда за 20—40 км от дома, одна в поле с утра до поздней ночи, а порой и ночевала в поле, прямо в распаханной борозде. Да еще нерадивый бригадир-фронтовик, прошедший по бабам на селе, добрался до девок.

Пришлось уйти в другой колхоз, а значит, и из дома. Затем после войны, по вербовке, уехала на Урал, в Свердловск. Но и там жизнь была не слаще. Жила на квартире, тяжелая работа в прачечной. Вышла замуж. Отец мой, по маминым рассказам, был добрый, работящий, очень любил меня, но когда пил, становился просто зверем и ему все равно было кого бить, особенно доставалось маме. Затем он уехал в Сибирь, мама не поехала за ним, а потом развод.

Я всегда удивлялась маме: рассказывая об отце, у нее никогда не было злости на него, да и плохого я больше слышала от родных, чем от мамы. И когда мы узнали, что отец умер, мама плакала и просила у Бога простить все его грехи.

Мама так и не вышла замуж. Став взрослой, я спросила: «Почему?» «Я так боялась, что он будет тебя обижать, да и болеть стала сильно — сначала радикулит, полиартрит, экзема, и вот в 45 лет отказали ноги, затем почти и руки».

Я росла взбалмошной девчонкой, доставляла маме немало хлопот. Сейчас мне не только стыдно, но и больно. На моей совести еще одна мамина болезнь — астма.

Я вышла замуж, и мы пошли в кино, вывезли на инвалидной коляске маму на улицу, было тепло, но прошел дождь, мама промокла и простыла. Отсюда астма и еще геморрой воспалился. Сколько мама страдала! И так она прожила до 60 лет.

Последующие годы, особенно в период обострения астмы, мама спрашивала в слезах Бога: «За что? За что ты так наказываешь меня?»

Мне ужасно больно смотреть на ее страдания. Ведь она прожила трудную, полную лишений жизнь, при этом будучи доброй, отзывчивой, любящей матерью и сестрой.

Всех младших братьев и сестер приняла из деревни, помогла встать на ноги, помогла и советом, и материально. К ней хорошо все относились, уважали и соседи, и на работе. Мама умела слушать людей. Так за что она была так наказана?

И когда я прочитала Ваши книги, это было как озарение, и я думаю, мне Ангелы ответили: мама рассчитывалась за ошибки прошлой жизни. И мне стало как-то

легче на душе, я точно знаю: сейчас мама в раю, Бог про-
стил ее и там у нее ничего не болит. Кроме, наверное,
души за меня и ее внука. И есть за что.

Вы верно подумали, но это была еще и ее плата, которую она принимала со смирением здесь, на Земле, чтобы
получить у Бога на Небесах то, что она заслужила.

После прочтения пятой книги я постаралась более
тщательно осмыслить свою жизнь. Какая была моя про-
грамма? Стать хорошим поваром, хорошей женой и ма-
терью. Взвешивая все хорошее и плохое в моей жизни на
весах, я почему-то думаю, что плохого больше, и только
надеюсь на обратное. У меня хорошая память, жила по
принципу: простила — забыла, прошло — ушло, надо жить
настоящим и будущим.

В 19 лет вышла замуж, долго думала, что Бог послал
мне хорошего мужа за то, что я не отказалась от боль-
ной мамы, ухаживала за ней. Гордилась красивым, умным
мужем, у которого и так гордости было много.

Он стеснялся больной тещи, что я повар и т.д. Мы не
научились делиться переживаниями, сомнениями. Я, бы-
вало, выкричусь, выскажу ему свои обиды, он же все таил
в себе, я прощала и забывала ссоры, он же все помнил и не
прощал. Так в семье возникли проблемы, Ваня (муж) стал
выпивать, я же искала на стороне понимание, уважение
и т.д.

Вообще-то во многом виновата я, так и раньше счи-
тала и теперь, но велико искушение дьявола, не могла
противостоять злу, вошедшему в мою семью. С мамой
боялась советоваться, чтоб ее не расстраивать (хотя
она все видела и понимала).

Ведь слышала Ангела своего, его предупреждение, но не слушалась его. Так распадалась семья. Много ссорились из-за сына Виталия. Ваня почти всегда, я думаю, был прав в его воспитании, но оно было построено на строгости, а не на любви. Хотя он очень его любил. И эта строгость постоянно отталкивала их друг от друга.

И вот после 25 лет совместной жизни мы разошлись, но еще несколько лет жили вместе. Мы, взрослые, поглощенные своими обидами и проблемами, не замечали, что творится у детей на душе. Виталик после нашего развода остался один со своими мыслями и заботами. И вот — улица, наркотики.

Когда мы поняли, что происходит с сыном, объединились и старались спасти его. Лечили, убеждали, крестили. Я старалась достучаться до его души, поняла, что теряю самое дорогое в жизни.

Всю свою любовь и заботу отдала сыну. И помог нам Бог — наш Виталик поверил в Него, обратился к Нему за помощью. Никогда не забуду, как он стоял в церкви у иконы Иисуса Христа, беззвучно плакал и просил прощения и помощи у Бога. И это были слезы очищения.

Спасибо Богу нашему, спасибо Ангелам нашим за помощь, за сына!!! Спасибо! Вы вернули к жизни не только сына, но и меня! Виталий тоже читал Ваши книги, мы много обсуждаем их, даже спорим. Сейчас он студент Политехнического университета, и все это благодаря Вам, Любовь Ивановна, и Ангелам-Хранителям!

Хотя семейная жизнь и не наладилась, сейчас я смотрю на нее по-другому. Сначала я злилась на мужа, затем только жалела, но после пятой книги мои чувства как-то изменились. Мне не только жаль его, но хочется до конца простить, приласкать, обогреть. Он сей-

час как неприкаянный, другую семью не смог создать, тянется к нам.

Но он не умеет прощать, продолжает выпивать, заглушая обиду на нас, да и на себя. Я думаю: как заставить забыть обиды, поверить в хорошее, дать возможность подарить ему внимание и ласку? Я не знаю.

Работаю я в школьной столовой, люблю свою работу, уделяю ей много времени и сил, так как, всему веря из Ваших книг, стараюсь донести прочитанное своим знакомым. Так, на Восьмое марта всему своему коллективу подарила четвертую книгу «Любовь и жизнь», в надежде, что от прочитанного они станут добрее.

Как я уже писала, после прочтения книг жизнь моя приобрела другой смысл, все мои знания стали четкими, получили подтверждение.

Теперь я не боюсь смерти, даже не боюсь суда Божьего, уж что заслужила, то и получу. Только хочется прожить остальные годы с большей пользой для людей близких, чтобы сын прочно встал на ноги еще при мне, чтобы он не отошел от веры, чтобы меньше грешил и ошибался.

Вот поэтому я и хочу знать — кто мои Ангелы-Хранители и моих близких? Чтобы просить у них помощи, совета. Кто Вы, мои Ангелы? Ответьте! Не оставляйте грешников, помогите найти правильную дорогу, выполнить предначертанное Богом! Вы нам очень нужны!

В своих молитвах Вы можете обращаться к Николаю Угоднику и Ксении Петербуржской, ну и, конечно, Вас берегут все Ваши близкие, о ком Вы храните память, даже те, кого Вы помните, но никогда не видели.

И еще мне хочется высказаться по поводу позорного письма, приведенного в пятой книге. Дорогая Любовь Ива-

*новна, когда я начала читать первые строки, моему возму-
щению не было границ, мне хотелось плюнуть этой женщине в лицо, через строчку называла ее дурой. Я не понимаю,
как она посмела оскорблять Вас. Даже если люди и не верят
Вам, Бог с ними, но зачем обижать? Ведь она не отрицает,
что мы все будем там и всем нам держать ответ: и ей и
Вам, Любовь Ивановна! Каждый получит свое!*

*Но прочитав Ваш комментарий к письму, я еще боль-
ше уверовала в Вас. Я всегда поражалась поступкам Иисуса Христа, так как, зная о предательстве, о предстоя-
щей своей смерти, он все же творил добро людям. Как
смог он и его ученики, оставив свои семьи, близких, жен и
детей, ходить по свету? Это какую душу и сердце надо
иметь, чтобы отдать всего себя нам! Принять столько
лишений ради нас, чтобы мы жили более правильно!*

Спасибо вам всем, мои дорогие, кто так близко к
сердцу принял боль мою. Но мой Ангел-Хранитель на-
помнил мне: когда я была ребенком, бабушка рассказывала мне, что, когда она сидела в тюрьме в Архан-
гельске, начальник тюрьмы взял ее к себе в дом нянь-
кой своим трем детям.

Зная, что у бабушки остались дети, он давал ей са-
хар кусками, соленую рыбу, вещи детям, каждый месяц
из Архангельска в деревню шли посылки, которые по-
лучала родная сестра дедушки.

Вещи она бросала детям через забор, продукты ос-
тавляла себе, и это родная тетя! Бабушка слова ей не
сказала, хотя все знала, зато я однажды, еще лет в шесть,
напомнила ей об этом. Прямо на кладбище, на Пасху,
когда баба Настя пыталась меня угостить конфетами, я
их не взяла и еще добавила, что она плохая, потому что
она обижала моих дядей.

Бабушка тогда при всех первый раз в жизни меня от-хлестала, но когда мы пришли домой, она, прижав меня к себе и горько плача, объяснила мне, что так делать нельзя, что только Бог может решить, виновен человек или нет, и что баба Настя получила наказание, у нее не было детей, а бабушке он послал маму и тетю. Разве я могла вырасти другой у этого поистине Святого человека?

Она простила своих врагов еще при жизни, я за нее не могла простить и после смерти этой женщины, свои обиды я прощаю легко, но больше сорока лет я не мог-ла простить той, что причинила боль моей бабуле. Ког-да я подходила на кладбище, то еле сдерживала жела-ние пнуть ее могилу ногой.

И только после ваших откликов на пятую книгу и на это злополучное письмо мои Ангелы показали, как я была не права. Я не имела права не простить, ведь мне-то она не причинила боли, но я любила ближнего своего как самого себя, значит, быть по-другому не могло, только прощать я не научилась до конца, пока мои близкие меня не научи-ли, больше я не сержусь на бабу Настю, и теперь на ее могиле, как и на бабушкиной с дедом, от меня не только венок, но и память моя живет, и раскаяние, и молитвы.

Каждое утро, выходя из дома, я читаю три раза мо-литву «Отче наш» (вообще-то я никак не могла ее вы-учить наизусть, и лишь листок с молитвой всегда был со мной, а с Ваших страниц выучила сразу). Идя на работу, разговариваю с Ангелом-Хранителем обо всем, что меня волнует и тревожит. Последнее время я почти не слышу его, наверное, наказана за свои грехи, но, разговаривая с ним, мне становится легче.

И дай Бог Вам, Любовь Ивановна и Ренат, терпения, доброты, здоровья, чтобы быть той ниточкой, тем зве-

ном между Ангелами-Хранителями и нами, простыми людьми.

Да пребудет с Вами Бог наш!

С большим уважением, признанием, с низким поклоном к вам, добрые люди.

Ольга Николаевна
г. Тольятти

Здравствуйте, дорогая Любовь Ивановна!

Вчера купила Вашу 5-ю книгу «Рай или Ад» и прочла ее. Теперь у меня уже пять Ваших книг. С нетерпением жду выхода последующих. Милая Любовь Ивановна, прошу Вас простить меня за мое первое письмо (оно было послано где-то год назад).

Я его написала после того, как прочла первую книгу. Да, собственно, это было не письмо, а просто вопрос с целью проверить Вас. Но теперь, спустя время, я знаю ответ на этот вопрос, я многое стала понимать, я нашла в себе силы порвать с убеждениями, которые оказались ложными. И главное, прочтя Ваши книги, я поразилась тому, какой Вы добрый, мудрый и чуткий человек.

А самое главное — я стала общаться со своим Ангелом-Хранителем, стала чаще посещать наш православный храм, чаще молиться.

Ваши с Ренатом книги несут в себе колоссальный заряд положительной энергии и учат только добру! Наверное, это Вам уже писали, но это действительно так. И, простите, кто смеет Вас с Ренатом судить? Неужели «судьи» Ваши не понимают, что они лишь выставляют себя в неприглядном свете?

Посмотрели бы лучше на себя, рассмотрели свою жизнь и поняли бы, что нельзя судить других людей и особенно критиковать ту область знаний, которая тебе еще не открыта. Я сама посмела Вас осудить когда-то, не поверить, но теперь я в этом искренне раскаиваюсь, поверьте! И еще раз прошу простить меня.

Я часто перечитываю Ваши книги. Они дают мне силы, их даже читает мой муж, человек довольно приземленный, то есть он видит и воспринимает только то, что можно увидеть и пощупать, а область мира Ангелов, духов и т.д. для него очень далека.

Просто его так воспитали, но я очень люблю его, несмотря на эту разницу. Так вот, он иногда с удовольствием читает Ваши книги. Дорогая Любовь Ивановна, хочу от всего сердца пожелать Вам и Ренату дальнейших творческих успехов, личного счастья, и пусть Господь Бог хранит Вас, и пусть Ваши Ангелы всегда помогают Вам!

Понимаю, что Вы физически не в состоянии ответить на каждое письмо, да я и не жду быстрого ответа, для меня главное, чтобы Вы прочли мое письмо.

До свидания!

Будьте счастливы и здоровы! С уважением

Людмила
п. Никель, Мурманская обл.

Мои дорогие Любовь Ивановна и Ренат Ильдарович!

На одном дыхании я прочла пять Ваших книг. Только первые пять. Я не знаю, может быть, в нашем городе закупили только первые пять книг, а может, только издали пять. Но я с огромным нетерпением жду остальные книги.

Эти книги для меня как «лучики света в темном царстве» (извините за плагиат). И мне так много хочется Вам сказать, поделиться впечатлением, которое произвели на меня Ваши книги, что я не знаю, с чего начать.

Чтобы не повторятся в тех письмах, которые десятками тысяч идут к Вам со всех уголков Земли (я в этом

217

уверена, так как по себе поняла, что просто невозможно удержаться и не написать письмо), и в тех нескольких письмах, которые опубликованы в книгах (кроме письма из п. Венцы от женщины, «изучившей очень хорошо Святое Писание»), я также подписываюсь вместе с их авторами частичкой своей души и сердца. Я не могла без слез читать посвященные Вам, Любовь Ивановна, и Вашей бабушке эти непритязательные (извините за неподходящее слово), зато написанные искренне и с любовью стихи.

После прочтения пятой книги у меня такое ощущение на душе, как будто я была скована множеством цепей, а читая Ваши книги, постепенно их стряхивала одну за другой.

Цепи — это мои страхи перед повседневными проблемами, страх за свое будущее, за будущее своих детей и внуков, за будущее нашей России, страх перед смертью, страх за жизнь после смерти! Извините за сумбурную речь, но я не литератор. Хотя я уверена, что Вы, Любовь Ивановна, меня поймете.

Но теперь, после прочтения пятой книги, я поняла, что Господь любит всех людей и каждого человека в отдельности, и чтобы эту любовь сохранить, нужно жить по законам Добра.

Дорогая моя! Я так и вижу перед собой Ваши Добрые, Сострадательные и бесконечно Любящие всех нас, грешников, Ясные глаза! Огромное Вам спасибо от всех людей за то, что Вы взвалили на свои плечи все наши проблемы, что Вы не отказываетесь от нас и продолжаете нести этот тяжелый груз человеческих страданий!

Так много хочется написать: поделиться, порадоваться, посоветоваться, пожаловаться, посетовать, просто поговорить. Но я ценю Ваше время и не буду его отнимать у других, которые тоже хотят, чтобы их письма прочли.

Дорогая Любовь Ивановна! Конечно, у меня тоже есть проблемы. Мне очень хочется, чтобы мои дети и внуки имели Ангелов-Хранителей, которые оберегали бы их от житейских проблем и неурядиц. Особенно меня беспокоит судьба внучки Машеньки, которую воспитывает с первых дней жизни ее прабабушка (моя мать), а ее мать (моя дочь) от нее отказалась. Мне очень хочется встретиться лично с Вами и узнать, кто мои Ангелы-Хранители, что мне сделать для того, чтобы они не отвернулись от меня и моей семьи и помогли мне в решении жизненных проблем?

Я очень надеюсь и жду, что мои Ангелы-Хранители захотят со мной разговаривать и наша встреча состоится, меня запишут на прием.

А если нет, то, значит, я еще не заслужила этой благодати и буду ждать со смирением, когда эта встреча произойдет.

Я желаю Вам, ЛЮБОВЬ, и Вам, РЕНАТ, много Ангелов-Хранителей (хотя они и так у Вас есть) и творческих успехов в издании остальных книг. Я жду с нетерпением выхода следующих книг, и даст Вам Бог самого наилучшего. С уважением и любовью к Вам

Ольга Николаевна Гуторова, 46 лет, домохозяйка
г. Белгород

P.S. Мои земляки из Белгородской области Вам уже писали, и их письма опубликованы в книгах, потому наш город Вы уже знаете, а я его очень люблю. В канун 60-летия

219

Курской битвы желаю всем своим землякам любви друг к другу, веры в Бога и своих Ангелов-Хранителей, надежды на встречу с такими людьми, как Вы, мои дорогие ЛЮБОВЬ и РЕНАТ!

Я обращаюсь к тем людям, которые помогают Любови Ивановне и Ренату Ильдаровичу в прочтении всех приходящих на их имя писем и посланий.

Дорогие мои! Большое Вам человеческое спасибо за Ваш бескорыстный, но такой необходимый труд. За Вашу огромную помощь, которую Вы оказываете людям, за то, что ни одно письмо не окажется непрочитанным. За Ваше человеческое сострадание и посильную помощь уже тем, что Вы прочитаете письмо.

Дай Вам Бог много Ангелов-Хранителей. Извините, что письмо отправила с уведомлением, но я просто подстраховалась от почтовых неурядиц. С уважением

Ольга Николаевна Гуторова

Дорогая Ольга Николаевна. Вы можете позвонить в г. Краснодар по телефону 8-8612-37-82-11 и записаться на прием у администратора Натальи Анатольевны. И Вы обязательно встретитесь с Любовью Ивановной в назначенное Вам время. И поверьте мне, она будет рада этой встрече.

Здравствуйте, мои дорогие Ренат Ильдарович и Любовь Ивановна!

Пишу Вам письмо, которое, может, тоже продиктовано моими Ангелами-Хранителями. Читая пятую книгу, я все же решилась написать его, хотя собиралась написать еще раньше, читая предыдущие книги. От всей души большое, огромное спасибо Вам, мои дорогие, и Ангелам-

Хранителям! Слава Богу, что Ренат остался жив после автомобильной катастрофы!

Прочитав Ваши книги, я нашла для себя ответы на вопросы, давно меня интересующие. Как я хотела узнать правду про рождение Иисуса, про жития Святых — и все это я узнала из Ваших книг. Вы даже не представляете, как мне дороги эти книги! Это святыни! Какое счастье, что Вы их пишете, а мы их читаем! Благодаря им у меня открылись шире глаза.

Я очень сильно верю в Бога. И при помощи этих книг (я даю их читать родным и знакомым) я хочу, чтобы люди тоже поверили и полюбили Бога! Я думаю, что мои Ангелы-Хранители мне помогут.

Еще я мечтаю в будущем (сейчас я еще молода для этого) исцелять людей с помощью заговоров. Ведь это такое счастье — видеть, как человек выздоравливает и ты приложила к этому усилия. А пока я работаю над собой, постараюсь очистить душу от черноты и от скверны, буду по капле выдавливать из себя дьявола.

Слава Богу и Ангелам-Хранителям, что я могу уже отличить, что от Бога, а что от дьявола. Буду стараться уничтожить его в себе. Еще мечтаю побывать в храме Святой Ксении Петербуржской и помолиться там, побывать у святого источника Серафима Саровского.

Еще до чтения Ваших книг я как бы видела образ старца в подсознании, но не знала, кто он. Когда стала читать первую книгу и увидела там его на картинке, подумала: «Боже, это же Серафим Саровский!» Может, он мой Ангел-Хранитель? Когда я купила пятую книгу «Рай или Ад» и начала читать, не могу на словах выразить свои чувства, те эмоции, которые переполняют мою душу, мое сердце.

Я просто читаю и плачу, читаю и плачу. Плачу, наверное, от того, что все это мне так дорого, так близко, так трогает мою душу, что слезы сами катятся из глаз. Пишу Вам письмо и думаю, что Вы его прочитаете.

Поэтому хочу поделиться самым сокровенным. Хочу рассказать Вам сон, который мне приснился, когда я прочитала вторую книгу. Сплю я, а мне снится какой-то сон, и вдруг как будто что-то щелкнуло.

Я услышала такой удивительно приятный мужской молодой голос. Я никогда не слышала в жизни такого голоса. Я поняла, что это мой Ангел-Хранитель. Я спросила его: «Что меня ждет в жизни?» И он ответил мне: «Все равно».

И показал дорогу, ведущую как бы вверх, прямую, ровную, и на ней попадаются мелкие камешки. После этого снова как бы что-то щелкнуло, и я проснулась.

На душе во время сна было очень спокойно. Это мне знак свыше. Я поняла этот сон по-своему. А может, Вы, моя дорогая Любовь Ивановна, с помощью наших Ангелов-Хранителей разгадаете его? У меня растет сынок. Я буду стараться воспитывать его так, как Вы пишете в книгах, постараюсь привить ему любовь к Богу. Он его и так любит.

Хочу, чтобы у меня вырос Спаситель, постараюсь привить ему все хорошее, доброе, красивое, что есть на земле. Я уже сейчас люблю своих будущих внуков. Хочу, чтобы они внесли свою лепту, свою капельку в это огромное море — в спасение человечества.

Дорогие женщины! Давайте будем прививать своим детям любовь к добру, пусть они спасут мир. Ведь осталось так мало времени! За все неприятности, которые были у меня в жизни, я благодарю Бога. Таким образом Господь наставляет меня на путь истинный.

На этом я заканчиваю свое письмо. С нетерпением жду следующей книги. Да благословит Вас Бог, дорогие Любовь Ивановна и Ренат Ильдарович! Дай Бог Вам крепкого здоровья и счастья! Живите, пожалуйста, долго! Если нашим Ангелам-Хранителям будет угодно, то они устроят нам встречу. Полностью полагаюсь на Них.

До свидания, мои родные, низкий Вам поклон!

Попова Елена
г. Златоуст, Челябинская область

Милая Елена, разгадка Вашего сна очень простая, на Вашем жизненном пути будут встречаться камешки, то есть Ваша дорога не будет гладкой, и не важно, что ждет Вас на Вашем пути, Вы все равно придете вверх, но как Вас там встретят, будет зависеть только от Вас, чем чаще человек останавливается в пути, чтобы подарить свою любовь ближнему или протянуть руку помощи нуждающемуся, тем легче будет дорога. И сын Ваш может стать не только Вашим спасителем, но и может спасти тех, кто будет его в жизни окружать.

Здравствуйте, дорогая Любочка!

Я Вам уже посылала одно письмо. Мне ужасно неловко, в нем было много боли, но мало слов благодарности.

Не могу передать словами мою благодарность Вам и Ренату. Если бы Вы только могли себе представить, какое счастье Вы нам подарили (на расстоянии виднее, в упор, как говорится, не так видно). Мне все то, о чем Вы пишете, так близко и знакомо, я только не могла понять, что к чему и как объяснить то, что я чувствую, о чем думаю.

223

Спасибо огромное, космических размеров спасибо Вам. Я чувствовала, что должно что-то произойти, что-то необыкновенно чистое, светлое, спасительное для нас.

Глядя, как люди обманывают друг друга, говорят одно, думают другое, а делают третье, мне становилось очень больно, хотелось что-то исправить, от бессилия я часто плакала и молилась.

Мне хотелось обнять весь мир, сделать его лучше. И вот я дожила до этого счастливого часа, когда могу взять в руки такие драгоценные книги (все пять). Пишите, Любочка, пишите для нас, для тех, кто верит, нас много, будет еще больше, пишите ради спасения нас всех, спасения нашей Земли.

Не обращайте внимания на ту злость, что изливают на Вас злые люди, это шипение змей, нечисти, которая, боясь света, пытается ужалить из последних сил. Пришел конец злу, я верю, мы его победим, и воссияет свет Господа нашего, Отца Небесного, и родится Иисус в сердце каждого, любящего Бога.

Эти слова не могли не тронуть душу, дело в том, что буквально за неделю до этого письма мы получили информацию: чтобы победить зло и спасти мир, мы должны поселить в сердце своем безграничную любовь к сыновьям Божьим — буддисты к Будде, христиане к Иисусу Христу, мусульмане к Магомеду и все вместе к Богу и, конечно, друг к другу, только в этом случае нас всех ждет и спасение, и прощение. Если мы будем искренними в этой любви, каждый сын Божий придет спасти свой народ; когда это произойдет, зависит от каждого из нас, чем сильнее Вера, тем скорее придет исцеление и избавление.

Мне уже 52 года. Оглядываясь назад, я сожалею, что недостаточно внимательна была к своим Ангелам-Хра-

нителям. Очень много ошибок сделала я в жизни. У меня до сих пор предчувствие, что я в 18 лет пошла не по тому пути, что уготовил мне Господь.

Был момент, когда я, в очередной раз совершив ошибку, ощутила, что я в болоте, и два ангела за уши вытащили меня на сухое место, но и тогда я не осознала все до конца.

Как не хватало Ваших книг тогда! Мне было около 20 лет. Только в 1986 году, после Чернобыля, когда я стала чувствовать себя все хуже и хуже, я задумалась всерьез о Боге. Я вспомнила свою бабушку Дуню, думала о жизни святых, пыталась понять, как мне жить, как поступать в жизни. Господь услышал меня.

И вот однажды, идя на работу, я увидела Иисуса Христа. Он стоял на углу дома и смотрел на меня. Он ничего мне не сказал, но мне стало так стыдно — Иисус всегда был рядом, ждал, когда же я Его позову, а я была слепа и глуха...

Иисус привел меня к Отцу Небесному. Я стала молиться Ему. Отец Небесный слышал меня и помогал нам с сыном. Однажды, когда сын учился в институте (у нас в городе), нам нечем было заплатить за обучение 25 гривен, сын, идя домой, нашел 110 гривен. Я, идя с работы, плакала и просила у Него помощи. Можете представить себе мои чувства, когда, войдя в квартиру, я узнала о находке сына. Я разрыдалась при нем и сказала, что это Бог послал нам.

Сын верит в Бога, делает, как я попрошу (иконка стоит на столе, может взять с собой в дорогу), но что-то его ещё не пускает (на нас порча?!).

Порчи нет, а вот веры у Вашего сына еще мало.

Он мне привозит из Киева Ваши книги, когда бывает там в командировке (у нас они дороже), но сам не читает, говорит, что пока не готов.

У меня с какого-то времени было ощущение, что я должна лечить людей, мне шли в руки книги с разными системами целительства — Джуна, Торонова и др. Но было ощущение, что эти книги больше от людей и это не то, что мне нужно. Только от Бога совершенные знания, и я, попробовав кое-что, поняла, что помочь смогу мало, а вот навредить — много. Я все бросила, но иногда бывает очень тяжело, тяготит бездействие, но я ничего не умею.

Несколько лет назад, когда мне было тяжело совсем, я уволилась и не работала 9 месяцев, только Бог знает на что и как мы тогда жили. Я много спала, не было сил (сейчас снова бессилие, и снова я уволилась, не доработав до пенсии 2,5 года).

У меня были видения и красивые сны. Сны я не помню, а видения мне запомнились. Я видела космические корабли вокруг Земли в цветных огнях, как новогодняя елка.

Я видела экран цветной, на нем люди говорили (слов я не слышала), одежда на них была как в фильме «Собака на сене». Помню, я летела по воздуху к этому экрану, а какая-то женщина руками что-то делала над моей головой.

Я видела красивую корону в огне красивого синего цвета, к ней тянулись руками грязные люди, перед этим была картина, похожая на взятие Зимнего дворца, люди бежали, кричали, а я на все это смотрела со стороны, и мне было больно.

Видения-мысли могли происходить и днем, прямо на улице, с открытыми глазами. Однажды я шла, говорила с Господом, увидела зал в нашем кинотеатре. Зал был полон людей, я стояла на сцене, говорила с людьми, а потом взмолилась Отцу Небесному.

Я просила Его дать в сердце каждого в этом зале огонь Его любви, и кто не примет ее, ощутив в душе легкость, теплоту, томление... того только тогда наказывать, остальных же, верующих и заблудших, пощадить.

Это было так четко, что я помню все в деталях до сих пор; я видела, как язычки пламени (как на апостолов) вошли в сердце каждого, как я и просила. Может быть, это ответ мне на то видение — Ваши книги, наше спасение тем, кто примет их. Хвала Господу, что слышит наши молитвы и дает нам по вере нашей.

Жаль, что я не смогу к вам приехать, а очень хотелось бы знать, что со мной происходит. Десяток экстрасенсов не дали мне ответ, больше я к ним не хожу. Силы мои тают с каждым днем, жаль, если это конец.

Так хочется пожить, используя те знания, которые у меня есть, а также научиться их использовать. Вижу, что сына воспитала не так, как хотелось бы, может, еще можно исправить, да и самой так хочется научиться любить по-настоящему и подарить свою любовь людям.

Прошу Вас, Любочка, пишите, мы с нетерпением ждем Ваши книги, а строительство Центра отдайте специалистам. Я верю, что Ангелы-Хранители всё устроят. А Центр нужен, и не один.

В своих видениях я тоже видела Центр в нашем городе, где старики могли бы спокойно доживать свой век и уйти без мук душевных и физических, без страха перед тем миром. Где дети, особенно беспризорные и голодные, наелись бы и согрелись, чтобы их любили взрослые, хоть и чужие люди. Куда люди взрослые могли бы прийти, подлечиться, научиться, как правильно жить, пообщаться с ушедшими родственниками, успокоиться. Но все это только мои мечты...

Любочка (простите, что я Вас так называю, как сестричку), еще и еще раз большое спасибо Вам и Ренату за Ваш труд. Спасибо, что взвалили на свои плечи такой непосильный труд, может, наша любовь и благодарность Вам, а также наш голод по таким знаниям придадут Вам сил, да и Ангелы Ваши не оставят Вас, спасибо им огромное, низкий поклон, любовь и благодарность от всей души, от всего сердца.

В такие моменты ощущаю, как беден наш богатый русский язык, как не хватает слов выразить любовь и теплоту сердца, лавину благодарности Отцу Небесному, Иисусу Христу, всем Силам Света, Ангелам-Хранителям, Вам, Любовь Ивановна, Ренату и всем, кто причастен к этому святому делу. Дай Вам Бог сил, здоровья, терпения.

Если бы Вы смогли мне как-то ответить, я была бы счастлива. Мне кажется, что пройдет немного времени и нам не надо будет к Вам ехать, а Вам нам писать, Вы сможете, преодолевая расстояния, приходить к нам на помощь в любой момент. С любовью и благодарностью

Симакова Татьяна Геннадьевна

Дорогая Татьяна, последние три месяца я читаю письма сама, конечно, стало труднее, но Ваши добрые слова дают мне силы справиться. Иногда после письма хочется на крыльях полететь и оказать помощь, иногда я думаю, что если бы все узнали то, что я знаю на сегодняшний день, то многие бы вопросы отпали.

Когда мне Ангелы говорили, что я на них на все отвечу, были сомнения — это сколько времени и сил будет нужно, чтобы ответить всем желающим, и вновь они успокоили.

Скоро мне должны установить телефон по просьбе издательства «АСТ», обратившегося к районной администрации Мостовского района. Там я нашла понимание и поддержку в лице главы администрации Духанова Николая Васильевича. Поддержку мне оказала также Татьяна Алексеевна Климова — директор детского приюта «Солнышко».

Как только будет установлен телефон, никому не нужно будет приезжать, достаточно будет лишь позвонить по телефону в определенный день и время. Номер телефона и дни, когда Вы сможете дозвониться, мы сообщим в книгах.

Здравствуйте, Любовь Ивановна!

Пишу Вам из мест лишения свободы. Может, мое письмо получится не слишком удачное, сразу приношу свои извинения и очень хочу, чтобы это письмо дошло до Вас. Начну с того, что Вашу книгу «Откровение Ангелов-Хранителей» принесла мама одной девочке из нашего отряда.

Прочитав Вашу книгу, я была потрясена. Сколько всего я узнала, о чем раньше даже и не ведала. Когда читаешь эту книгу, то в душе какое-то спокойствие и в то же время еще больше и больше хочется узнать.

И я очень хотела иметь такие книги. Теперь у меня есть заветная мечта: когда я освобожусь, я обязательно приобрету все книги, которые будете выпускать Вы.

Хочу немного написать о себе. Мне 41 год, родилась в Пермской области, а большую часть своей жизни прожила в Тюменской области. Но это не главное.

Главное, что я сейчас нахожусь здесь, как у нас говорят, «за забором», то есть меня от вольной жизни отделяет колючая проволока. Да, я никого не виню, что так со мной произошло, что я оказалась здесь, далеко от своих детей, виновата сама.

Срок моего наказания — 10 лет общего режима, а в заключении я уже почти два года. Не знаю, почему я Вам всё это пишу, наверное, оттого, что Вы очень добрый, отзывчивый и хороший человек.

Последнее время у меня какая-то пустота, тревога, может, оттого, что что-то должно произойти, а может, что очень редко мне пишут из дома. Мой срок наказания по ст. 228, то есть это наркомания.

Да, Вы, наверное, сейчас ужаснетесь, как в таком возрасте можно колоться. Я прокололась два с половиной года, за это время потеряла очень хорошую подругу. Она умерла. Ко всему этому я еще больна неизлечимой болезнью — это ВИЧ.

Да, я понимаю, что это страшная болезнь, но я не хочу в это верить. Здесь, на зоне, я стала часто болеть — это сердце и давление, головные боли. Организм стареет очень быстро, так как не хватает витаминов.

Вы только не подумайте, что я Вам жалуюсь, просто хочется с Вами поделиться. Сейчас на дворе ночь, я сегодня ночная дневальная, в мои обязанности входит спокойствие девочек в отряде, если кому-то надо помочь, то я сразу звоню в дежурную часть, а там решает администрация, как лучше все сделать.

Вот сейчас пишу Вам, а рядом ходит девочка, которая сильно заболела, у нее опоясывающий герпес. Это очень страшная болезнь. Этой девочке всего 20 лет. Вот смотрю на нее и думаю: чем так она мучается, еще плачет, лучше бы я болела, а не она.

Смотрю на всех спящих девочек и думаю: неужели они скоро повторят те же ошибки, за которые сейчас расплачиваются? И мне становится очень их жаль. Нас в отряде 21 человек — это самый маленький отрядик, — и все мы ВИЧ-инфицированные. Живем мы изолированно от других отрядов.

Любовь Ивановна, если у Вас будет желание и свободное время, то напишите мне, пожалуйста. Но если Вы даже и не напишете, я нисколько на Вас не обижусь. Я пойму Вас, там, на воле, в Вас очень нуждаются люди, и Вы им всем помогаете. Я хочу Вам пожелать главного — здоровья, и берегите себя, ведь Вы дарите огромную радость, и люди в Вас верят.

На этом буду заканчивать свое небольшое письмо. И если все-таки у Вас будет время, напишите мне хоть пару строчек, что это письмо дошло до Вас. Извините еще раз, что мое письмо вышло нескладное.

С уважением к Вам Людмила и пусть Бог бережет Вас.
Самые Вам лучшие слова на свете.

Любочка! Любашенька!

Здравствуй, наша любименькая! Ты давно тронула моё сердце, но я не хотела тебя загружать своей писаниной, но теперь вижу, как нужна тебе поддержка близких по духу людей.

Я так рыдала над пятой книгой... Дорогая, не расстраивайся из-за дурацких писем, ты же знаешь, что у людей свое восприятие мира, нельзя на них обижаться.

Горько то, что когда твое сердце разрывается от досады, что мы неправильно живем, а люди видят в тебе только корысть. Да, не всем открыты завесы тайного, всегда было и есть, что одни посвящены в тайное, а другим это знать не дано. Даже посвященные и те могут заблуждаться.

Даже церковники, верующие люди, молящиеся день и ночь, просвещенные во многих вопросах бытия, поступают как невежи, отстаивая только свое вероисповедание, заклинившись на догмах, не в состоянии различить, где черное, а где белое.

Мне жаль, когда ты объясняешь людям свое сокровенное, оправдываешься перед ними за свои дела. Крик твоей души так больно отражается в моем сердце, что я говорю: «Ну хватит, прекрати, Любочка, негоже метать бисер перед свиньями!»

Паника охватывает всех, всем людям страшно, если погибнет наша красивая Земля. Да, необходим титанический труд, непомерные усилия многих и многих людей. И есть люди, которые тебя слышат, ради высокой любви готовы без корысти служить Господу.

Мы в этом мире не одни. Габриэм, ты знаешь о ней? Она давно уже слышит Бога, и давно печатаются книги — Откровения нашего Отца, книги Универсальной Жизни путешествуют по всему миру.

Мне в жизни повезло не раз столкнуться с Божественным проявлением Господа, потому так понятны твои книги. Мне, сиротке при живой матери, Господь через Ангелов-Хранителей в 5 лет поведал о том, что я счастливая, потому что в прошлой жизни на Земле много сделала для Господа.

Родилась я 15.02.50. В то время мне не от кого было узнать, что за информация поступает ко мне во время сна. Прошло время, и стало ясно, что я тоже являюсь вестницей Господа, как и ты, но я Надежда...

Еще ребенком я знала, что Бог — не человек и Его видеть нельзя, а можно ощущать Его присутствие. Мне много было показано картин, я видела, как все живет и дышит Господом, даже эти строки, написанные моей рукой!

Мне пришлось — Слава Всевышнему! — побывать в самом центре Вселенной и наполниться лаской и любовью Господа.

Я тоже хотела донести Божественную Любовь до людей, но встретила насмешки, неприязнь, меня считали чокнутой, говорили: «Спустись на Землю, что ты летаешь в облаках?! Это все хорошо, конечно, но жизнь ставит свои заслоны, и, кроме тебя самой, проблемы никто не будет решать».

Я сказала Господу: «Прости, у меня нет сил донести людям Твою любовь, доброту, заботу о своих детях, потому что не чувствуют они невидимый мир, который реален, который есть, не ощущают, не слышат они себя изнутри, ищут своего Бога и не поймут, что в храме Его тоже не найдешь, если не услышишь внутри себя».

Да, люди видят, что я не идеальна, а значит, не могу решать их проблемы, навязывать свое мнение, учить их правильно жить, так как до конца сама не разобралась в себе.

Надо мной так много смеялись, но я знала, что нужно принимать унижение, чтобы ущемлять свою Гордыню. «Господи, покажи людям, как с Твоей помощью человек в жизни может всего добиться, ведь люди видят только материальное», — думала я.

Я знаю, что много людей хороших и не все думают, что я психически ненормальная, когда плачу над пятой книгой «Откровений»...

Не надо боятся, Люба, что ты красива и холена, потому что тебя красит Господь и не всем дано видеть тот свет, который струится от тебя, как от живой, на фото. Не пойму, почему надо прятать крест? От коммунистов?

Это не дань моде, а великая радость души, что есть Отец Небесный и его Сын, который так любит нас, что того нельзя не заметить.

В Краснодаре у меня родственники, и я обязательно буду в ваших краях. С уважением

Надежда
г. Тамбов

Уважаемые Любовь Ивановна и Ренат Ильдарович!
Низкий поклон Вам за Ваше благородное дело.

Я прочитала первые четыре книги «Откровения Ангелов-Хранителей». Причем посоветовал мне их почитать директор предприятия, на котором я работаю почти 25 лет, сейчас в должности начальника планово-экономического отдела.

Я верю в Бога, хожу по возможности в церковь, читаю религиозную литературу. Но у меня возникли сомнения и вопросы, ответы на которые я найти не могла, а слепо верить у меня не получается. После прочтения написанных Вами книг многое стало понятным и логичным.

Огромнейшее спасибо Вам за труд, пусть Господь дарует Вам здоровье и благополучие, а Ангелы-Хранители Вас не оставят и сохранят Ваш бесценный дар.

Я дала прочесть эти книги некоторым своим друзьям, соседям, сослуживцам, и почти все они близко приняли прочитанное и поверили изложенным истинам. И еще, по предложению нашего директора мы хотим у нас на предприятии с 1 октября организовать кружок по изучению религиозной литературы, обмену информацией и формированию правильного отношения к жизни. И конечно, Ваши книги будут главными нашими учебниками.

Не сочтите меня навязчивой или нескромной. Я понимаю, что Вам пишут тысячи попавших в беду людей. Но думаю, что моя ситуация одна из самых тяжелых. Как написано в одной из Ваших книг, нет большего горя в жизни, чем хоронить своего ребенка.

У меня в 1995 году, в возрасте 21 года, в автокатастрофе погиб единственный сын. В мае пришел из армии, служил в морской пехоте, а 7 сентября его не стало. Все то, что написано во вступлении к четвертой книге о Сергее Герлице, можно отнести к моему сыну Игорю.

Я потерялась, ушли из жизни смысл и радость. Меня спасли работа и верные друзья. Мне кажется, Господь Бог одной рукой посылает мне тяжкие испытания, а другой — поддерживает, не дает упасть. Я думаю, что одним из моих Ангелов-Хранителей является сын Игорек, часто к нему обращаюсь за советом и поддержкой. Он мне во сне говорил: «Не волнуйся, мама, мне очень хорошо». А еще я прошу о помощи Святую мученицу Татьяну.

В марте этого года мне исполнилось 50 лет. Все чаще думаю о старости. Меня очень беспокоит плохое зрение, сильная близорукость. Стараюсь по возможности поддерживать зрение хотя бы на теперешнем уровне. Моя работа связана с письмом и цифрами, а кроме того, мне нравится читать, шить, вязать, вышивать.

У меня большая беда — пьющий муж, с которым я живу уже 30 лет. Причем пьяный он очень агрессивный, драчливый, угрожает убить. Много раз хотела с ним расстаться.

В 2001 году, когда я решила с ним развестись, несмотря ни на какие обещания, он согласился закодироваться. Первый раз кодируют только на год. Когда этот год прошел, я предложила ему продлить лечение на три — пять лет, он ни в какую.

Не пил еще 9 месяцев, но стал вспыльчивый и агрессивный, а потом начал пить. В одной из Ваших книг написано, что в пьянстве мужа виновата жена. Но, как мне кажется, я применила все возможные меры, чтобы он не пил.

Уговаривала, ставила условия, купили машину, закодировали, но, как видно, горбатого могила исправит. У него и у трезвого тяжелый характер, но когда он пьяный, терпеть его невозможно. В нашей семье пили и отец, и брат, так что от пьянства я натерпелась.

Сейчас я сказала мужу, что он по отношению ко мне предатель и жить с пьяницей я не буду. Он, правда, тоже сказал, что я ему надоела и чтобы подавала на развод, но ведет себя агрессивно.

Все осложняется тем, что у меня уже седьмой год после инсульта парализована мама, ей 77 лет. Требуется постоянный уход, сама она ничего не может, нанимаю людей по уходу, пока я на работе. Сейчас с ней моя 15-летняя племянница, средняя дочь моего единственного брата, который погиб при невыясненных

236

обстоятельствах в 42 года, оставив троих детей. А мой отец умер в 1986 году от рака.

Я приводила к маме и врачей, и народных целителей. Ей ничего не помогает. Она не может долго лежать, спазмы болезненно сводят ноги. Ночью спит сидя, чтобы я поспала. Она мучается, просит у Господа смерти, и я мучаюсь с ней. Я обращаюсь к Афанасию Афонскому, прошу его забрать маму на Небеса, прошу об этом Христа и Божью Матерь.

Этой моей зависимостью от маминой болезни пользуется муж. Он не верит, что я смогу с ним разойтись. Правду сказать, когда он не пил, то немного помогал мне в уходе за мамой: купать, переносить, перевозить (она недолгое время жила у брата). Я за это ему благодарна и прощала его скверный характер. Сейчас это закончилось. Одни только злоба, угрозы, проклятия.

Очень надеюсь, что Вы обратите внимание на мое письмо. У меня только два вопроса к Ангелам-Хранителям:

Почему на мою долю выпало столько тяжелых испытаний?

Верно ли мое решение расстаться с мужем?

Отправляю Вам письмо в праздник Илии-Пророка и очень прошу — помогите, подскажите, как мне правильно поступить. Заранее выражаю Вам благодарность и с нетерпением буду ждать Вашего ответа.

Нечитайло Татьяна Николаевна
г. Запорожье, Украина

Дорогие Любовь Ивановна и Ренат Ильдарович! Здравствуйте!

Меня зовут Лиза, мне 10 лет. Я Вас очень благодарю за то, что с Вашей помощью Ангелы-Хранители рассказали, как и что нужно делать в жизни. Книга попала в нашу семью от знакомой. Дала на недельку почитать. Я чуть ли не рву ее у мамы из рук!

Когда выдается свободный момент, я читаю ее. Это отличное издание! Мне лично она очень нравится. Я ее читала, читала, и вдруг так она резко кончилась! Ну ничего страшного. Ангелы-Хранители — прекрасные существа, очень сильные, добрые, могущественные! Они нас хранят, берегут. Я им так сильно благодарна! И Вам тоже! Ваш прекрасный дар так редок и обошелся не так уж и легко. И Вас, верно, Небеса очень берегут! С огромным уважением

Белоногова Лиза
г. Кодинск, Красноярский край

Здравствуйте, уважаемая Любовь Ивановна!
Пишет Вам Селезнева Евгения из Москвы. Мне 13 лет, я учусь в 9 классе.

Моя мама подарила мне на Новый год три первых книги «Откровения Ангелов-Хранителей». А сейчас я уже прочитала пятую книгу.

Я и раньше верила в Бога, но не очень сильно, во многом сомневалась. А когда прочитала Ваши книги, то сразу поняла, что все написанное в них — правда. Теперь я гораздо серьезнее отношусь к религии, к Богу. Я поняла, откуда идут многие мои проблемы, и больше никого не виню в них.

Спасибо Ангелам-Хранителям и Вам за такие книги!
Любовь Ивановна, у меня к Вам три вопроса, точнее, просьбы. Я очень хотела бы попасть к Вам на прием, но пока это невозможно. Я понимаю, что к Вам приходят тысячи писем с просьбами, которые важнее моих. Про-

стите, что отвлекаю Вас от важных дел! Если это возможно, пожалуйста, ответьте мне!

Я бы очень хотела узнать, кто мои Ангелы-Хранители. Иногда мне кажется, что Николай Угодник, но так ли это?

Еще я хотела бы узнать, в чем мое предназначение. Я с детства люблю писать, но ведь чтобы быть писателем, нужен талант. Есть ли он во мне?

А третья моя просьба такая. Может, я еще маленькая, но мне бы очень хотелось поскорее найти свою любовь. Скажите, что мне нужно для этого сделать? Я много грешила, но может быть, что-то можно исправить?

Простите, пожалуйста, если я много слишком прошу или пишу что-то не то! Я не хочу Вас обидеть!

Я буду с нетерпением ждать Ваши следующие книги, которые помогут мне стать чище и добрее. Желаю Вам, Любовь Ивановна, здоровья, терпения, счастья.

Спасибо Вам за все, что Вы делаете! Вы очень нужны людям! С уважением и любовью

Селезнева Евгения
г. Москва

Здравствуйте, Любовь Ивановна и Ренат Ильдарович!

Пишу Вам с Дальнего Востока, из города Хабаровска. Знаю, что получаете тысячи писем, и пусть мое вольется в этот большой, уже бушующий поток.

Не знаю, прочитаете ли Вы его когда-нибудь. А может, и нет, но будет приятно на душе, что написала Вам.

Книги Ваши — это самое дорогое и святое, что есть у меня. Я возвращаюсь к ним снова и снова. Они дают мне заново познать жизнь, познать все, что дано Богом.

Они как воздух, который так необходим, они как солнце, которое дает тепло.

Я живу и дышу Вашими книгами. Перелистываю свои страницы жизни и горько сожалею, что так много сделано ошибок, смогу ли я успеть исправить их? И не наделать бы новых. Думаю об этом каждый день и прошу своего Ангела Небесного помочь мне в этом.

Еще задолго до Ваших книг, только сейчас я понимаю, Ангелы приходили ко мне во снах. Они лечили меня, показывали кусочки Рая, и рядом с Ними я ощущала блаженное состояние, которое я не могла описать, проснувшись.

Теперь я точно знаю, что рядом со мной есть мой Ангел, мой любимый Ангел, который и берег меня, и наказывал, и помогал, когда мне было очень трудно. Он и сейчас рядом. Но кто он? Как его зовут?

Как бы мне хотелось увидеть Вас! Услышать своего Ангела через Вас. Попросить совета и помощи.

Два раза я была замужем. Но каждый брак распадался. С третьим мужчиной я жила почти 8 лет, и сейчас, живя с другой женщиной, он все равно не оставляет меня в покое. Он надеется, что у нас все будет хорошо. Каждый раз мне его жаль, и я ему прощаю. Но все опять повторяется.

В Вашей пятой книге написано: «Полюбите всех вокруг себя, и все ваши проблемы исчезнут сами собой, и все ваши болезни исцелятся сами собой».

Может, проблема во мне самой? И я не могу полюбить этого человека, и болезни одолевают меня так сильно.

Подскажите мне, Любовь Ивановна, в чем причина всех моих страданий? Конечно, если я заслужила этой помощи. А если я заслужила, мне бы очень хотелось спросить своего Ангела о своей работе: стоит ли мне продавать квартиру, чтобы заняться собственным делом?

Знаю я Вас с 1998 года через газету «Блиц», еще тогда я прониклась душой к Вашим статьям. До сих пор у меня хранятся вырезки с Вашими фотографиями и письмо, где Вы ответили на 5 моих вопросов. И как же я была благодарна, Любовь Ивановна, когда Вы назвали профессию — юрист — моему сыну. По окончании школы в 2002 году безо всяких колебаний он поступил в институт на юридический факультет.

Большое Вам сердечное спасибо, и спасибо Ангелам сына моего, что направили по правильному пути. Еще раз спасибо!

Если это письмо дойдет до Ваших добрых рук и такого же доброго сердца, спросите у моего Ангела, сможет ли Он мне помочь? А Он знает, как я этого хочу. А пока я буду ждать Вашу очередную книгу. С большим уважением

Елена Борисовна
г. Хабаровск

Здравствуйте, мои дорогие Любовь Ивановна и Ренат! Свои стихи об Иисусе дарю вам обоим. Светлые Вы люди.

Христос

Как мне страшны Твои страданья,
Богорожденный Человек,
Мне разделять с Тобой их хочется
Хоть сотни лет из века в век.
Тебя послало человечество
За прегрешения свои

На крест позорный, на мучения,
На распинание толпы.
Но Твое сердце бьется ровно,
Ты мужественно принял Крест,
В глазах ни гнева, ни укора,
Лишь жажда мучает. Окрест,
Как Ты, я слышу свист бичей,
И рев вошедших в раж людей,
И запах Смерти и Бессмертья
На склоне проклятой горы.
И сквозь запекшиеся губы Ты шепчешь:
«Господи, прости
Им эти злые прегрешенья,
Ведь люди так малы, глупы».
О, Мать Мария, сколько силы
Тебе потребуется, чтоб
Не умалить своей слезинкой
Величье смерти таковой!
А в горле ком от глаз сияющих,
Мне не забыть их никогда.
Ты — наш Спаситель, Боже праведный!
У края бездны спас меня!

Вера

Мы веруем, не веря,
Обиду тая в сердцах.
Постыдно забыв на время
О том, кого славят в веках!
О том, Кто шел на Голгофу,
Избитый, жаждою томим.
И как Агасфер на потеху
Его грубо тряхнул: «Иди!»
Ну как же забыть Его, люди!
Одумайтесь, всмотритесь в себя!
Быть может, под спудом грешным
Вы обретете себя.
А обретя, поймете,
Что больше так жить нельзя.
Что искра Господня нам, грешным,
Для вечной жизни дана.
И чтобы она не угасла,

Почаще глядите в себя:
Как в омут, как в бездну, как в небо,
Глазами Иисуса Христа.

Что можно добавить ко многим тысячам писем, которые летят к Вам, мои хорошие, со всего света? Дело, которое Вы делаете, освящено Иисусом. Вы как за каменной стеной, я за Вас спокойна.

У меня уже 5 книг. Досыта не поем, но все книги КУПЛЮ. Передайте моему Ангелу-Хранителю это стихотворение. Эти стихи ему.

Ангел-Хранитель

Здравствуй, Ангел Господний,
Хранитель жизни моей!
На соблюдение
Богом Данный мне с чистых Небес.
Прилежно молю тебя, Ангел,
Ты меня просвети,
От всякого зла и насилия,
Прошу тебя, сохрани!
Ко благому уделу настави,
Светлый ангел Ты мой,
На путь спасения направи,
Я смело иду за тобой!

Ответьте, как его зовут и хочет ли он помочь мне, неразумной? Передайте Ангелу моему мою глубокую признательность за эти строчки, я полила их слезами от всей души.

Стихи пришли 26 апреля 2003 г. До этого НИКОГДА не пробовала и не знала, как здорово складывать в рифмы простые слова. Глубокий поклон, родные, и позвольте мне Вам обоим писать.

Эту энергетическую нить протянула не я, а он — Ангел. Однажды Он склонился надо мной, когда я спала.

Я была готова умереть от счастья, я ощущала его любовь ко мне, одинокой женщине, я плакала и таяла. Не могу, дорогие, лучше объяснить. Простите. Крепко целую.

P.S. Живите долго, Вы нам очень нужны. Ваша навек

Наташа Камаева
г. Ангарск, Иркутская обл.

Здравствуйте, Любовь Ивановна!

С первых строк хочу поблагодарить Вас за Ваш совместный труд в написании книги. Я прочел три первые книги, и они запали мне в душу. Мне было приятно их читать, я не знаю почему, но это так.

Может, потому, что это действительно правда, которую скрывают от людей. Любовь Ивановна, у меня нет возможности с Вами побеседовать, а тем более достать книги (продолжение), так как я нарушил уголовный закон и в данный момент отбываю наказание.

Но у меня большое желание — дочитать все Ваши книги и самое большое желание — пообщаться с Вами, не знаю почему, но мне это нужно. Может, потом придет объяснение этому, что меня тянет к справедливости и обнаружению лжи. У нас в лагере есть церковь, ее посещают заключенные, но на них надеты маски лжи.

Они делают вид, что служат Богу, а на самом деле они Им прикрываются. Они должны нести слово Божье, но они этого не делают. У нас в лагере их называют приспособленцы. Какой он служитель Богу, если по освобождении из лагеря опять совершает преступление и приходит назад в лагерь. На этом заканчиваю свое короткое письмо. С уважением

Александр

Здравствуйте, уважаемая Любовь Ивановна Панова!

Ваша книга попала мне в руки тогда, когда мне меньше всего хотелось жить. У меня умер сын. Маленький 6-летний (почти 6 лет) некрещеный мальчик ушел гулять. Произошел несчастный случай, и его больше нет рядом.

Все кругом говорят: «Смирись». Но я не могу. Я чувствую, что могу еще что-то для него сделать. Прочитав Вашу книгу «Рай или Ад», я только и думаю о том, чтобы попасть к Вам на прием и узнать, что я могу сделать для него и как нам дальше жить. И почему так случилось.

Мысли в голове путаются и трудно объяснить. Я и раньше знала, что живу как-то не так. Но сейчас все, кроме сына и будущего моей 8-летней дочери, не имеет смысла.

Много раз хотелось сесть и написать Вам письмо, но что-то отталкивало. В моей жизни всегда есть «но». У меня есть Ангелы-Хранители, но я их почти не слышу. Помогите мне их услышать. Во мне как будто два человека. Один советует одно, другой — другое. Кто из них прав, я не знаю.

Прочитав Ваши книги, я все принимаю как истину, иногда спорную, но все же истину. Как будто вспоминаю то, что знала очень давно, — древнюю правду жизни.

Прошу Вас, если сможете, ответьте мне на письмо. Очень хочется приехать к Вам и узнать правду о своей жизни. Я всегда думала, что родилась для того, чтобы быть матерью. У меня сейчас есть две надежды: сны, которые я не могу понять, и Вы.

Ваши книги прочитала почти вся моя семья, и все Вам верят. А моя дочь, мне кажется, и так все знает, еще не забыла. А я поняла, что многое в своей жизни делала неправильно. Как жаль, что я раньше Ваши книги

245

не прочитала. *Может быть, тогда все было бы иначе и я смогла бы изменить свою судьбу. А главное, судьбу своих детей.*

Не могу собрать свои мысли и чувства и выразить все словами. Очень хочу поговорить со своим сыном и Ангелами-Хранителями, но не могу. Мне кажется, если пообщаюсь с Вами, Любовь Ивановна, то прикоснусь к чему-то чистому и святому. Чего давно, очень давно ждала.

Спасибо Вам за все, даже если Вы мне не ответите. Ведь теперь у меня есть Ваши книги, которые я постоянно перечитываю. Мне кажется, там есть ответы на каждый мой вопрос.

С благодарностью от всей моей семьи.

P.S. У меня есть еще одна главная надежда на Бога, что он меня простит.

Эрштейн Анжелика
г. Киржач, Владимирская обл.

Здравствуйте, уважаемые Любовь Ивановна и Ренат Ильдарович!

Пишет Вам читатель из южного города Одессы, что на Украине.

То, что Вы написали, очень нужно и необходимо каждому человеку. Конечно, то, что Вы делаете, очень тяжелый труд, но я полагаю, что Вы за это будете щедро вознаграждены Господом Богом — Отцом Вседержителем.

Так получилось, что я работаю в море, и мне припомнился один случай. Как-то после тяжелого дня, когда люди, бывает, спорят, встал капитан и сказал, как бы успокаивая всех:

Товарищ, верь, взойдет она,
Звезда пленительного счастья!
Россия вспрянет ото сна,
И на обломках самовластья
Напишут наши имена.

По характеру и по духу он крепкий русский человек, я бы даже сказал — настоящий русский человек, любящий окружающих и верящий в них. С этим человеком легко работается, его уважают другие.

Как-то раз он в шутку или всерьез сказал: «А можно я буду тебя называть «Талькав»?» Был такой персонаж, индеец в книге «Дети капитана Гранта», очевидно, он мне подходит. Можно много и долго рассуждать о судьбах разных людей, но я думаю, русские люди заслужили лучшей жизни, так как бывал неоднократно в России.

А у нас на Украине тоже было вынесено людьми много горя. Во время «красного террора», например, мой дед был раскулачен и сослан в Сибирь за то, что любил много трудиться на земле и любил окружающих людей. Да, он был богатым по тем временам, в этом заключался его «грех».

Моя бабушка, потерявшая мужа на войне и так и не вышедшая больше замуж, поклялась перед этим ему, что будет предана ему навеки. Она осталась в голодные годы с тремя дочерьми на руках. Трудно представить, что она перенесла.

Но я считаю, что даже их, разрушивших наши будущие жизни, следует простить, исходя из Вашего совета мудрости. Ведь нет ничего дороже на земле, чем мудрость. Именно ее — мудрости — всем нам не хватает.

Хотел бы еще сказать о своем другом прадеде, Николае, который служил в церкви, был примером чистоты и нравственности. Для меня его жизнь является примером, взять хотя бы такой факт: за свою жизнь он ни разу не сказал матерного слова. Даже если и приходилось кого-то ругать, он говорил: «Ох, ты нехорошо сделал».

Все это мне рассказывала моя мать Варвара.

Я не знаю, заслужил или нет такой награды перед Богом, ведь я обычный грешный человек, но мне, конечно, очень хотелось бы с Вами повидаться и также пообщаться с Ангелами-Хранителями. Да благословит Вас Господь. С любовью и уважением

Анатолий
г. Одесса, Украина

Здравствуйте, уважаемые Любовь Ивановна, Ренат Ильдарович и все те добрые люди, которые помогают Вам в этом нелегком, но благословенном труде!

Прочитала Вашу очередную книгу «Рай или Ад» и тоже хочу присоединиться к тому необъятному потоку людской благодарности Вам и дорогим Ангелам-Хранителям за то, что Вы подарили нам, грешным людям, этот бесценный подарок, путеводитель жизни. Сказать, что книги «Откровения Ангелов-Хранителей» явились для меня открытием, значит не выразить в полной мере всех чувств, которые наполнили и возродили мою душу.

Это целебный глоток свежего воздуха, без которого я бы еще немного и задохнулась. Мне кажется, эти книги и те знания, которые они несут, я ждала всю жизнь. Они перевернули ее, изменили взгляды на жизнь.

У меня в библиотеке все Ваши книги. Каждую новую мы с дочерью ждем с большим нетерпением.

Читаю Ваши книги со слезами радости на глазах, душу мою переполняют счастье и благодарность к Вам, дорогим, которые подарили нам эту радость, к моим Ангелам-Хранителям, которые дали мне возможность узнать о Вас.

Немного жаль, что эти книги не появились в моей жизни раньше, но я благодарю Отца нашего Небесного, что дочь и внученька моя будут идти по жизни с этим подарком Небес.

Дорогая Любовь Ивановна, знаю, что тысячи писем приходят к Вам с просьбами о помощи. Вы у нас одна, а несчастных людей так много. Столько горя кругом, и всем помочь невозможно, как бы этого ни хотелось.

Я это хорошо понимаю, так как по профессии — врач. Я бы не обратилась к Вам со своей просьбой, зная, что у многих людей проблемы намного больше, но что-то подсказывает моему материнскому сердцу, что Вы мне поможете. Господь учит нас: «Стучите, и вам откроют!» Вот и я попробую постучать.

Ваши книги перевернули мои взгляды на причины болезни, лечение. Теперь я понимаю, что у некоторых заболеваний есть причины, и не всегда физического плана, почему некоторым людям вообще не помогают лекарственные средства, даже порой самые эффективные. Вот и сейчас, когда я пишу эти строки, в соседней комнате страдает моя дочь. Я врач, а своей дочери помочь не могу. Вся надежда на Вас.

Моей дочери 20 лет (Калугина Юлия Викторовна). Страдает она примерно с 6—7 лет тяжелым заболеванием носа, дышит только с каплями, а периодически наступает сильнейшее обострение, когда и они не помогают.

Она начинает задыхаться, в легких свистит, падает давление. Три раза делали операции, пробовали лечение народными средствами, но ничего не помогает. У нее больной желудок, кишечник, позвоночник, порой нет вообще никаких сил и она с трудом поднимается с постели.

Вскоре после родов она попала на операционный стол, ее смотрели 6 специалистов, все сошлись на мнении, что у нее диагноз — аппендицит. В ходе операции выяснилось, что диагноз неверен. На операцию пошли зря.

При обследовании других органов то же самое. Все органы вроде бы нормальные. Мне кажется, что в основе ее заболеваний лежат какие-то кармические причины! Но какие?!

Дочь моя — добрый, отзывчивый, верующий человек. Это она, будучи еще ребенком, привела меня к Богу, заставила задуматься о смысле жизни. С раннего детства она верит в Бога, боготворит Деву Марию, считает ее своей Небесной Матерью.

Сердце мое сжимается от горя и бессилия. Кроме болезней, которые мучают ее, ей не повезло и в личной жизни, осталась одна с маленькой дочкой (ей всего 1,5 года). Не знаю, как она будет жить, работать, растить дочь, когда жизненных сил у нее нет.

Дорогая Любовь Ивановна, обращаюсь к Вам с просьбой: спросите у Ангелов-Хранителей о причинах ее болезней и что нам необходимо сделать для того, чтобы повлиять на эти причины, можно ли облегчить ее страдания? Может, на нашем роду лежит какое-нибудь проклятие? Я тоже страдала таким же заболеванием носа в молодости, но мне помогла операция.

Уважаемая Любовь Ивановна, написать Вам письмо с просьбой о помощи меня побудил еще сон моей дочери, который ей приснился недавно.

Он как бы подсказал, что кто-то свыше, через веру поможет ей избавиться от болезней. Вот этот сон:

«Дочь моя вместе со мной находится в комнате. Она подходит к окну. Окно огромных размеров. Через него она видит ясное голубое небо.

Внезапно она увидела плывущее по небу изображение Сен-Жермена. Это изображение усеяно непонятными иероглифами, но она понимала их значение и свободно читала их вслух на этом непонятном языке.

Затем вслед за Сен-Жерменом появились изображения других людей, но она осознавала, что это святые, жившие в разные периоды жизни на Земле. Потом она оказалась в другой комнате, и на нее стали падать открытки. Ощущение такое, что их посылает Высший Разум.

Открытки эти касались судеб многих людей, и одна из них была адресована моей дочери с признанием в любви, но она была черного цвета и надорвана слегка. Потом в комнату вошел огромный тигр красноватой окраски, моя дочь схватила меня за руку, и мы укрылись в другой комнате за железной дверью с огромными замками. Потом я вылезла на козырек подъезда из окна и стала звать на помощь».

Любовь Ивановна! Может, этот сон пророческий и помощь эта придет от Ангелов-Хранителей через Вас. Любовь Ивановна, дорогая, помогите, я буду до конца своих дней благодарить Вас за Ваше доброе и отзывчивое сердце!

Любовь Ивановна! Еще один вопрос не дает мне покоя. В первой Вашей книге я прочитала, что два человека в одном доме не должны иметь одинаковых имен, Ангел бережет только одного из них.

Дело в том, что внучку, мое маленькое солнышко, этот Божий подарок, дочь моя назвала в честь меня. Теперь,

251

прочитав это в книге, я очень переживаю за внучку: не лишилась ли она Ангела-Хранителя? Что можно сделать, чтобы поправить ситуацию? Я так хочу счастья своим любимым детям?

Уважаемая Любовь Ивановна! Если вдруг Вы ответите на мое письмо, если, конечно, будет такая возможность, перечислите нам (мне, дочери, внучке) имена наших дорогих Ангелов-Хранителей, чтобы неустанно благодарить их за добрую помощь, которую они оказывают нам в нашей нелегкой жизни.

С любовью и низким поклоном к Вам и Вашим добрым помощникам

Гончарова Ольга Михайловна
г. Благовещенск, Амурская обл.

Дочери Ольги Михайловны действительно можно помочь, но только при личной встрече с Любовью Ивановной. Вся информация Вам будет дана по телефону в Краснодаре: 8-8612-37-82-11. Администратор Наталья Анатольевна.

Здравствуйте, уважаемые Любовь Ивановна и Ренат Ильдарович!

Нет слов, чтобы выразить Вам благодарность за Ваш труд. Просто, доступно, понятно, окрыленно. Многое стало на место. Я работаю преподавателем в ВУЗе, читаю курсы «Введение в православие», «Религиоведение», «Искусство и литература», «История Отечества». Жду Ваших книг по истории нашей страны. Читаю и перечитываю Ваши книги.

Заразила окружающих, Ваши книги даже увезут 9 августа в Германию. Жду встречи со студентами. Очень хо-

чется обсудить. *Много было белых пятен. Теперь все стало на свои места.*

Дай Вам Бог удачи и здоровья. Я знаю, что письма идут к Вам тысячами, но все-таки тоже решилась написать Вам.

Я решила изменить свою жизнь и начала в этом году составлять свою родословную. У многих россиян она трудная и запутанная. Меня волновал вопрос: почему об отце мамы в доме ничего не говорили? Узнала.

Маму мой отец бил и жестоко над ней издевался. Я боялась пьяниц и рукоприкладства. Живу с отчимом в квартире, но это человек тоже жестокого нрава. Мамы нет уже восемь с половиной лет.

Тяжело было моим родным во все времена. Узнала, что семья бабушки Степаниды была сослана в Сибирь на поселение. Для меня осталось загадкой, что отец бабушки, по одной версии, был убит в 1914 году. По другой — расстрелян.

Единственный живой ныне дядя говорит, что они приехали в Сибирь из Курска. Примета — река Горбулина (верхнее и нижнее течение так называлось). Но на карте Курска и Курской области нет такой реки. Настало время узнать правду.

Почему-то это важно для меня. Но самое интересное, что у себя в городе я не могу найти следов своего родного отца. Я знаю, что он умер, но в архивах нашего города нет даже записи о его смерти.

По рассказам мамы, это была семья пьющая. Только дедушка Василий да его старшая дочь Таисия не пили. Много трагичного в этой семье, и плохо, что я начала изучать свое древо, когда многих уже нет в живых.

Жаль, что в школах начали говорить о родословном древе всего десять лет назад. Мне очень хочется узнать, кто же мои предки со стороны мамы и папы.

А еще меня очень интересует один вопрос. На протяжении многих лет меня неудержимо тянет в Санкт-Петербург. Сошла с поезда, встала на землю этого города — я приехала домой. И если прилетаю туда и встаю на землю — я домой прилетела. Мне все знакомо, хорошо ориентируюсь. Как будто прожила там всю жизнь.

Я страшно скучаю по этому городу. Мечта моя — уехать туда. Там есть друзья, мои ученики, и даже отучилась там в аспирантуре. Эпоха Петра I мне очень близка. Я могу говорить о том периоде часами, но мне очень хочется еще узнать, побывать везде, где был Петр I.

И вообще я заметила, что меня тянет в эпоху конца XVII—XVIII веков. Брежу Францией и культурой Италии, а особенно Японией. Так хочется еще поездить и передать своим ученикам, чтоб не останавливались на достигнутом. Жили в мире, любви и согласии.

То, что я одна, виновата сама, Вы правильно пишете об этом. Но надеюсь на счастье и думаю, что оно не за горами.

Вам очень хочется пожелать, чтобы Ваш душевный и творческий родник не засох. Мы ждем Ваших книг. С Вами и сама становишься мудрее, добрее.

И еще хочу спросить, почему нигде в храмах я не чувствую себя хорошо, только в Санкт-Петербурге в Александрово-Невской лавре и у иконы Казанской Божьей Матери. Слезы льются градом. Выхожу очищенной.

Загорелась побывать в Колывани. Как только представится такая возможность, обязательно поеду. У нас

254

в губернии тоже есть святой источник, мы были там с 6 на 7 июля.

Я буду молиться за Вас и вместе с Вами за наших россиян, детей, внуков. Пропагандировать Ваши книги, учиться жить в этом мире в ладу с Богом, его заветами.

Пусть наши Ангелы ведут нас к добру, и Вы, наша путеводительница, будьте здоровы. С уважением

Галина Мелехина
г. Новокузнецк, Кемеровская обл.

Здравствуйте, Любовь Ивановна!

Спасибо огромное Вам и Ренату Ильдаровичу за пятую книгу. Когда я читала «Обращение к людям», меня поразило то, что я чувствую то же самое. В конце из моих глаз хлынули слезы боли и какой-то радости, какого-то предчувствия.

А еще, простите за дерзость, я грешница, можно сказать, блудная дочь и не имею права говорить это — у меня из глубины души вырвался крик: «Мама!», я упала на колени и рыдала.

Мне 27 лет, жизнь в Греции для меня — своеобразное чистилище, знаю, что заслужила все до последней слезинки из глаз, и пусть я одна, и пусть мечтаю о том, что может и не сбыться, и пусть сердце разрывается от боли и тоски — у меня есть два родных человека на Земле — это Вы.

В душе скопилось так много, а вокруг... липкое удушающее одиночество и непонимание. Хочется писать Вам обо всем, о вещих снах, о любви, о Боге и дьяволе, о том, как трудно жить в чужой стране в полной духовной изоляции ради того, чтобы на Родине выжили две старые и больные женщины и маленькая девочка — Богдана (19 декабря 1995 года рождения). Да Вы все это увидите и

без слов, о даре, который помогает видеть целые карти-
ны из жизни людей, я знала всегда, чувствовала. И Ренат
Ильдарович постепенно, а может, и уже, видит то, что
хотят показать ему Ангелы.

Стихотворения скажут обо мне больше — это все,
что у меня есть, они родились тогда, когда мне было очень-
очень тяжело.

Сожги меня, когда умру, и отпусти,
Над морем пепел мой развей и все прости.
Я вольным ветром полечу в мой светлый рай,
Я так люблю тебя, мой друг, не забывай.

Не надо плакать, смерть всего лишь дверь,
Открыв ее, найдешь покой, ты только верь.
Чем больше любишь и труднее жизни путь,
Чем чище мысли и добро их суть —
Тем ярче светится сиянием душа,
Увидишь новый день глазами малыша.
Кем быть тебе потом, куда идти,
Что повстречаешь на своем пути?
Другая жизнь — тебе решить:
Кем стать, как жить, как не грешить.
Искать, чтоб знать, любить, мечтать
И что иметь, кому отдать.
Не верить, бояться, терпеть и просить,
А может, расстаться и быстро забыть...
Моя душа хочет опять так любить,
Иначе не надо душою мне быть!

Улыбнись, меня нет — я всего лишь душа,
Не грусти обо мне — я уйду не спеша.
Я тебя заберу, как окончишь свой век,
Ты чудесный мой друг — но пока человек.

01.01.2003 г.

Как вырастить мне волшебные крылья птицы,
Чтоб полететь туда, где устали ждать?
Как ветром стать и над землей кружиться,

Потоком воздушным легонько тебя обнять?
Звездою упасть с Небес, подарив рожденье,
О вечной любви мечты, что еще живет...
Бессмысленно дерзким пусть будет мое паденье,
Последний, отчаянный — видишь? — души полет.
Вот чистая, белая чей-то тетради страница —
Задай мне вопрос, если хочешь меня понять.
Кругом нас чужие, немного надменные лица,
Мне мужество надо у бездны одной стоять.

18.04.2003

Я напишу слово БОЛЬ и запомню его.
Вон плачет малыш, а тебе все равно.
Ты взрослый уже и не хочешь узнать,
Как снова ребенком маленьким стать.
Вон плачет малыш — ты чувствуешь боль?
Душа — светлый шар, а боль — черный ком,
Война — ее мать, жестокость — отец,
Напрасную кровь не простит нам Творец.
Ложь — боли сестра, болезнь — сводный брат,
В отчаянье страх как пасть адских врат.
Жаль, ты не слышишь крик Ангелов: «Стой!»
Кругом столько зла питает нам боль.
А стоны души и слезы людей
Тебе не слышны — ты полон идей.
Идей Богом стать и мир сей судить,
Но только слепцу за собой не водить.
Забыл, что с мечом опасно ходить,
Ведь им и тебя тоже могут убить.
Сын Бога ходил босиком по земле,
Теперь этот мир погибает в огне...

12.04.2003

Найдите меня — среди миллиардов потухших сердец.
Узнайте меня — если можно нам знать конец.
Поймите меня — как безумную можно понять?
Простите меня — но не людям меня прощать.
Убейте меня — нет острее ножа из слов.
Забудьте меня — мне идти по дороге из снов.
Возьмите меня — может, скоро вам умирать.

Любите меня — научитесь сначала страдать.
Пустите меня — как же счастье свое упускать?
Терпите меня — не пришлось чтоб потом искать...

03.01.2003

А Небесные города —
Это сказка или мечта,
Отражение земных городов
Или русской души любовь?
Златоглавые города —
Храмы юной Святой Руси,
Возведенные на века,
Не забыть мне такой красы.
Купола как солнце горят
В благодатном сиянье своем,
И тихонько молитвы творят
Те, кто чувствует, чей это дом.
Неизвестные мастера,
Сотворившие облик страны,
Возвеличат и вас города,
Жаль, не этой — Небесной Руси.
Возрожденная из огня,
Орошенная кровью людской,
Пробудилась она ото сна —
Пал двуглавый царский орел.
Галерея великих имен
Предвещала монархий конец.
Ждали Ангела, час настал —
Змей ужасный вползал во дворец.
Революции, войны, террор,
Диктатура и... полный развал.
Эх, могуч же был этот простор,
Был когда-то, да чем теперь стал?
Подменили опять идеалы,
Помахали знаменем свободы,
Растоптали все, распродали,
Беспределу открыли дорогу.
Прости, моя многострадальная
Россия — матушка Земля!
Тоска и боль от созерцания,
Неужто дальше пустота?

Как воскресение — за распятием,
Так очищенье — за грехом,
Я верю, радостью объятая,
Ты к свету вознесешься вновь.
Благословенны все идущие
Во имя Бога и Любви,
Вот — Роза Мира — цель Грядущего
И поколенья без войны.

23—24. 08.2003

Как Вы понимаете, книга Д. Андреева «Роза Мира» произвела на меня особое впечатление. Что говорят Ангелы об этой книге? Родится ли в России интеррелигия, которая объединит весь мир во имя Любви?

Мне захотелось закончить свое письмо отрывком из книги «Роза Мира». Глава третья. Культ:

«Провиденциальные силы на страже всегда. Они всегда готовы прийти на помощь каждому из нас. Они постоянно трудятся над каждым из нас — над его душой и его судьбой. Каждая душа — поприще их борьбы с демоническим началом, и вся жизнь души — непрерывная цепь выборов, встающих перед Я, — выборов, усиливающих или парализующих помощь ему со стороны светлых начал.

Душа подобна путнику, перебирающемуся через шаткий мост. С другого берега протягивается к ней рука помощи, но, чтобы принять эту помощь, путник должен протянуть руку и сам. Такою рукой, протягиваемой навстречу силам Света, является каждый благой выбор, каждый правый поступок и каждое светлое движение души, и в том числе молитва» и т.д.

Любовь Ивановна, что я могу сделать, где найти ту единственную правильную дорогу? Быть может, мне необходимо выехать из Греции? Ваша душой и сердцем

Марина
Родес, Греция

В четвертой книге был опубликован некролог на смерть нашего близкого друга Сергея, который трагически погиб в автокатастрофе.

После этого нам пришлось выслушать от множества людей один и тот же вопрос: как же это так произошло? Почему Любовь Ивановна не уберегла Сергея? Почему она его не предупредила о смертельной опасности?

В последние годы я общался с Сергеем больше всех других людей, я знал его лучше всех, я проводил с ним больше всего времени, я был возле него в момент его смерти, поэтому я сам дам вам ответ на этот поставленный вопрос.

Сергей — это не единственный мой знакомый, умерший ранее отпущенного ему срока. Каждый раз мне казалось, что произошла какая-то чудовищная ошибка, что этого не должно быть.

Потом, когда с помощью Любови Ивановны мне удалось поговорить с душами умерших близких моих друзей и родственников и узнать от них обстоятельства их смерти, мое отношение к произошедшему коренным образом изменилось.

На прием к Любови Ивановне приходит очень много людей, потерявших своих близких. Я слышал, как разговаривали души умерших со своими живыми родственниками, как они их успокаивали.

Во время работы над книгой «Рай или Ад» нам пришлось достаточно серьезно поработать над темой «Почему умирают люди», получить Свыше ответы на многие мучившие нас вопросы.

Поэтому мой рассказ будет интересен не только тем, кто лично знал Сергея, но также и тем, кто когда-либо терял близкого человека.

Ничего случайного в этом мире не бывает

Эта мысль неоднократно повторяется во всех наших книгах из серии «Откровения Ангелов-Хранителей». Как только вы научитесь смотреть в суть любой ситуации, то сразу же беспорядочный хаос вокруг вас превратится в стройную, логическую, упорядоченную систему.

Во-первых, решение о смерти человека принимают на Небесах еще при жизни этого человека.

После смерти душа человека попадает в Небесный мир, где ее встречают души умерших ранее родственников и близких. Эта картина неоднократно описывалась людьми, пережившими клиническую смерть, неоднократно воспроизводилась в художественных и документальных фильмах, поэтому пора уже принять эту данность как реальность, а не как фантастический сюжет.

Каждого из нас после смерти будут встречать души близких нам людей. Каждого из нас ожидают или родители, или бабушки-дедушки, или друзья.

Вас будут встречать те люди, которые там на Небесах хлопотали о вашем переходе в мир иной, те люди, которые УСТРОИЛИ ВАМ СМЕРТЬ.

Для уха землянина это звучит достаточно страшно и ужасающе — УСТРОИЛИ СМЕРТЬ. Сами жители Небесного мира называют это иначе — ЗАБРАТЬ ДОМОЙ.

Нам с Любовью Ивановной приходилось много разговаривать с душами недавно умерших людей. Все умершие всегда в один голос говорят одно и то же:

— Меня тут так встретили! Это не передать словами! Я, наверное, сейчас задохнусь от счастья! Представляете, я лечу по тоннелю света, а в конце тоннеля меня встречают мои родители! Господи, как я по ним соскучился! Они умерли много лет назад, я думал, что никогда больше их не увижу, а они стоят тут передо мной как живые, они меня так любят, я их так люблю, какое это счастье! Как Бог к нам милостив, как Он нас всех любит.

Я не видел их столько лет, а тут я подхожу к ним, они живые, они начинают меня обнимать, прижимают к себе, мне не верится, что это правда, мне кажется, что я попал в сказку, и мои друзья умершие вокруг. Я так мучился, так страдал без них. Они, оказывается, все живы и здоровы, все меня любят.

Если бы вы знали, какое это блаженство! Если бы вы только знали, что нас всех ожидает после смерти, вы бы никогда больше не боялись смерти!

Родители так рады, они плачут от счастья, я тоже плачу. Они мне говорят: «Сынок! Как долго мы тебя ждали. Мы за тебя так просили, так просили, а тебя все не отпускали и не отпускали с Земли.

Мы здесь, образно говоря, землю рыли, чтобы добиться твоего возвращения к нам, так старались, и вот наконец Бог услышал наши молитвы и соединил нас вместе!»

Вот что на самом деле происходит после смерти. Когда вознесшийся в Небеса человек, обласканный и зацелованный, бросает взгляд на Землю, то что он видит внизу? Толпы плачущих, рыдающих, проклинающих все родственников и друзей.

Он пытается их успокоить, но они его даже не слышат. Они изо всех сил оплакивают его, а точнее, самих себя. Ему, умершему, на Небесах хорошо, им, оставшимся в живых, на Земле плохо.

Когда я узнал, что умер мой родной отец, в первый момент мне показалось, что земля уходит из-под моих ног. Я тут же позвонил Любаше и сообщил ей трагическую новость. Она была шокирована не меньше моего: «Подожди, Ренат, не расстраивайся. Сейчас с тобой твой отец хочет поговорить. Вот он пришел...

Ренат, он говорит тебе, чтобы ты не переживал. Если бы ты знал, как здесь хорошо, ты бы за него только радовался. Он знаешь что говорит: его здесь встретили его родители — папа и мама. Он их никогда не видел. Он у тебя сиротой рос, да, Ренат?

Он так рад родителям. Еще разные родственники вокруг, бабушки, дедушки, он даже не подозревал, что у него здесь столько родных.

Тебе, Ренат, говорит спасибо за то, что дал ему книги об Ангелах прочитать. Здесь все именно так, как описано в книгах. Он уже заранее настроился на то, что увидит, но все равно все оказалось настолько замечательным, что даже пересказать нельзя.

Ренат, успокойся, не плачь, не переживай. Придет время, и вы увидитесь. Он точно так же будет встречать тебя там на Небесах. Не плачь, держись. Отец говорит — вы же сами всех других людей учите, что надо спокойнее к таким вещам относиться, поэтому веди себя достойно.

На похороны съезди, маму успокой. От него привет ей передай, скажи, пусть не убивается, время придет, и они еще увидятся. Он вас всех любит и всех там ждет.

Его отец, оказывается, сильно за него просил. Отец твой на земле болел, мучился, а его собственный отец за него там на Небе просил. Всю жизнь Он за твоим отцом смотрел Сверху, оберегал его.

Маме передай, у отца сейчас все хорошо, все болезни у него разом прошли, ничего теперь не болит. Там болезней нет. Потом еще поговорим, не переживай».

После этого разговора мне сразу стало легче. Как-то отпустило. Потом спустя некоторое время опять как сжало. Я сидел и все время вспоминал своего отца, наши последние встречи, разговоры, сценки из детства, его слова, жесты... и все это бесконечное количество раз и по кругу.

Любой из вас, кто терял близкого человека, понимает, что со мной происходило. Горе — оно у всех одинаковое.

Время прошло, я успокоился, взял себя в руки, больше всего, конечно, обнадеживала фраза: «Потом еще поговорим». Было некоторое ощущение, что отец вовсе не умер, а просто уехал куда-то далеко и обещал оттуда периодически звонить.

Естественно, когда я стал общаться с родственниками, то все подряд задавали мне один и тот же вопрос: «Почему Любовь Ивановна не предупредила? Почему она не помогла?»

Примерно за полтора месяца до рокового дня я видел страшный сон — как будто я присутствую при смерти отца. Я стою возле его мертвого тела и рыдаю навзрыд. Он лежит возле меня на столе неподвижный и спокойный. А в душе у меня такая ноющая пустота, что и словами не передать.

Я проснулся посреди ночи весь в поту, сердце мое лихорадочно стучало, я не мог далее спать. Я сидел и думал только об одном — этот сон вещий или нет?

Мой отец был неизлечимо болен, еще в молодости он очень сильно застудился и потом в течение всей жизни периодически лечился от отека. Врачи осматривали его, назначали процедуры, но год за годом потихоньку, постепенно болезнь брала свое. Сейчас моему отцу было за 60, и он в очередной раз лежал в больнице.

Я собирался приехать к нему в гости в другой город. Представляете мое состояние, когда прямо накануне своей поездки я вдруг увидел такой сон.

Я всю ночь ходил по комнате и успокаивал сам себя: это все неправда, я сам своими негативными мыслями накрутил себе бог знает что, я сам себе внушил все это.

Дождавшись утра, я позвонил Любаше и задал мучивший меня вопрос: «Мой отец умрет или нет?» Я не стал ничего рассказывать про сон.

Вот что мне ответили Ангелы-Хранители: «Нет, твой отец не умрет. Увидев тебя, он будет очень рад. Приободрится. Ты будешь там несколько дней, старайся провести с ним как можно больше времени».

Я с облегчением вздохнул. Даже нельзя себе представить, какая гора упала с моих плеч. Я успокаивал сам себя — конечно, увидел какой-то дурной сон и навоображал себе, как какая-то впечатлительная особа. У меня расправились плечи, мне захотелось петь и радоваться жизни.

«Значит, отец не умрет?» — еще раз переспросил я.

«Конечно, нет, успокойся. НО ПОСТАРАЙСЯ ПО-
БОЛЬШЕ ПРОВЕСТИ С НИМ ВРЕМЕНИ, БУДЬ ВОЗ-
ЛЕ НЕГО СТОЛЬКО, СКОЛЬКО ВОЗМОЖНО».

«Конечно, конечно, это не вопрос», — бодро ответил я. На тот момент мне казалось, что это говорят для
того, чтобы мое присутствие возле отца помогло ему
почувствовать себя лучше.

Я приехал к отцу в больницу. Увидев его, я в душе
вздрогнул — он лежал на кровати и смотрел в стену
потухшим, почти безжизненным взглядом. Я тронул его
за плечо и сказал: «Папа, я приехал».

Он чуть шевельнулся, ему было трудно повернуть
голову. Несколько секунд он растерянно смотрел куда-
то в пустоту мимо меня. Лишь когда он заметил меня, в
его глазах мелькнула легкая тень, хотя поначалу казалось, что он не узнает меня.

Потом вдруг что-то в его глазах изменилось, взгляд
сфокусировался и губы чуть дернулись. Моя мать перед
этим говорила, что отец очень плох, еле дышит, с постели не может встать. Я даже возмутился: «Что вы
живого человека хороните, он еще ходить сможет, а вы
уже за упокой».

Наконец отец узнал меня, потянулся ко мне всем
телом, мы обнялись, оба прослезились. Он бесконечно
повторял: «Я знал, что ты должен приехать, я знал, что
ты сейчас придешь».

Я побрил отца, помыл его. Потом, сидя возле него
на соседней кровати, стал рассказывать о своих делах,
о своей жизни.

Утомившись, отец лег. Потом попросил меня: «По-
читай мне вслух ваши книги». Я стал вслух читать ему
про Ангелов-Хранителей и про Небесные миры.

266

Он внимательно все это слушал, периодически вставляя: «Вот это хорошо. Молодец, сынок, нужным делом занимаешься, я горжусь тобой. Ну-ка еще раз прочитай про Небесный мир, интересно так написано».

И я читал ему каждый день до тех пор, пока он не засыпал. Я уходил домой, потом вновь приходил в больницу и снова вслух читал ему книги.

Когда я уезжал, отец сказал мне на прощание: «Хорошо, что ты приехал, а то думал, умру и с тобой не попрощаюсь».

«Папа, что ты все за упокой, нельзя так шутить! — возмутился я. — Как поправишься, приезжай ко мне в гости».

«Обязательно». — И он обнял меня на прощание.

Две недели спустя мне позвонила мама и сказала, что отец умер.

Я молча сел на кровать, в голове яркой вспышкой мигал всего один вопрос: «Почему меня не предупредили? Почему меня обманули?»

Я позвонил Любаше и получил от Ангелов-Хранителей исчерпывающий ответ:

— А зачем тебе было знать, что твой отец скоро умрет? Изменить ты все равно ничего не можешь, решение на Небесах уже принято. Если бы Мы тебе сказали, что твой отец скоро умрет, ты бы поехал туда с такой скорбью и печалью, что отец умер бы от одного твоего вида.

Ты бы и сам терзался, и родню всю измучил, и отец, видя твои страдания, переживал бы и убивался.

А так ты приехал энергичный, радостный, взбодрил всех, подарил отцу несколько приятных дней, сам того не подозревая, подготовил его к переходу в мир иной, матери помог морально, успокоил хоть на время ее душу.

Тебя никто не обманывал — отец не умер во время твоего приезда, но никто не говорил, что он будет жить вечно. Ему был отпущен срок 63 года, он его прожил и ушел в мир иной в полном соответствии со всеми Небесными законами. Прими это теперь как должное.

За твоего отца сильно хлопотали его родители. Придет время, твой отец будет хлопотать за тебя.

Я вспомнил слова, сказанные мне Ангелами: «Постарайся провести возле отца побольше времени, будь возле него столько, сколько возможно».

Мне стало понятно, что Ангелы, зная наперед всю ситуацию, дали мне единственно правильный совет на тот момент. Это все, что я мог сделать в этой ситуации.

Я хорошо запомнил все то, что мне говорили Ангелы. Позже, наблюдая за другими людьми, которые, как и я, теряли близких, я заметил, с какой тактичностью и тщательностью устраивают Ангелы для своих подопечных переход в мир иной.

Вот сценка, свидетелем которой мне пришлось стать.

Женщина, приехавшая на прием, спрашивает у Любови Ивановны, будет ли жить ее больной муж.

Любаша отвечает: «На такие вопросы никогда не дают ответов. Вы можете представить себе, что произойдет с человеком, если ему взять и в лоб, напрямую сказать, что он скоро умрет? Да он же с ума сойдет. Там, на Небесах, сами знают, кого и когда из нас следует забирать, нам, простым смертным, нельзя в это вмешиваться».

Женщина, оправдываясь, сказала: «Да я не собираюсь ничего ему говорить. Мне для себя самой знать это надо!»

Любовь Ивановна: «Знаете, что отвечают вам Ангелы? Если мы ей сейчас скажем правду, то ее больной муж по ее лицу все поймет. Не надо мучить мужа».

Обратите внимание! Как ангелы заботятся о человеке, которому суждено умереть! И с какой любовью и тактичностью они с ним обращаются.

И как порой бывают грубы и неловки земляне в вопросах смерти. Они думают в первую очередь только о себе, о своих переживаниях, о своем самочувствии.

И даже после смерти человека его близкие, оставшиеся на Земле, продолжают терзать умершего родственника своими стонами и переживаниями, нисколько не задумываясь о том, каково приходится ему там, на Небесах. Как тяжело смотреть ему оттуда на нас, не верящих в загробную жизнь.

Однажды в поезде мне довелось познакомиться с индийцем. Сам он родом из центральной Индии, но часто бывает в России, хорошо знает русский язык, доктор медицинских наук.

Ознакомившись с книгой «Откровения Ангелов-Хранителей. Начало», он сказал: «Очень хорошая книга. Полезная. Для европейцев это будет открытие».

Я спросил: «А для индийцев?»

Он улыбнулся: «Друг, извини. То, что загробная жизнь существует, это только для европейцев открытие. У нас в Индии любой ребенок верит в переселение душ с самого рождения, поэтому все живут счастливо и спокойно»

Позже, изучая научную литературу, я наткнулся на такой факт: ученые провели опрос, пытаясь выяснить, жители каких стран считают сами себя наиболее счастливыми.

Опрос проводился в различных странах — богатых и бедных, цивилизованных и не очень. С огромным преимуществом на первое место вышли именно индийцы — 49% жителей страны, главный бич которой ужасающая бедность, сказали, что чувствуют себя наиболее счастливыми.

В сытой, благополучной Америке счастливых людей оказалось менее тридцати процентов. Еще меньше счастливчиков обнаружилось в России.

Человек, который не верит ни в Бога, ни в переселение душ, ни в Высший Разум, не может быть по-настоящему счастливым. Потому что в ином случае его будет преследовать страх смерти, пугать неизвестность.

Только истинно верующие люди спокойно относятся к вопросам жизни и смерти.

Месяц назад неожиданно скончался наш общий с Любашей знакомый. Молодой парень 35 лет погиб в результате несчастного случая.

Я видел, какими глазами жена погибшего смотрела потом на Любашу. В этом взгляде смешалось все — и обида, и недоумение, и возмущение. Она ничего не говорила вслух, но в ее глазах ясно читалось: «Почему Любовь Ивановна не предупредила моего мужа о смерти?»

Уже в который раз попадая в подобную ситуацию, Любаша безумно расстраивается и переживает.

«Я говорю людям только то, что Ангелы посчитают нужным сказать тому или иному человеку. Не я сама это решаю — кому жить, а кому умирать. У них там на Небесах все по-своему устроено.

Захотят Ангелы предупредить человека, предупредят, не посчитают нужным, значит, не предупредят. Мы, люди, не имеем права осуждать Ангелов и требовать от них то, что мы хотим».

Смерть Сергея, естественно, это не какая-нибудь нелепая случайность, как кажется многим со стороны. Для того чтобы принять решение о смерти того или иного человека, там, на Небесах, совершается титаническая работа. Взвешиваются все «за» и «против», а потом уже принимается решение.

Люди, живущие на Земле, ничего этого не знают. Не людям решать, стоит ли этому человеку жить дальше на Земле или не стоит.

За неделю до роковой поездки в Москву я видел неприятный сон — машина на всей скорости слетела с дороги. Просто машина слетела — я не видел ни лиц, ни того, что стало с машиной.

Когда я поделился с Сергеем своей тревогой, он ответил: «Это из-за колеса. Одна шина на машине сильно вспухла. Надо ее заменить».

После замены шин Сергей сказал: «Ну, теперь все нормально».

Перед поездкой я общался с Любашей и спросил ее: какой будет дорога. Она ответила, что все будет нормально, лучше всего выезжать с утра.

Я передал наш разговор Сергею. Он сказал: «Ночью трасса свободная, машин меньше, быстрее доедем. Ты в Москве месяц назад был, а я там уже два года не был. Раньше выедем, раньше приедем».

Услышав это, Любаша добавила: «Тогда проедете четыре часа и остановитесь, поспите».

Мы выехали на трассу. Дорога действительно была чистой и пустынной. Сергей набрал приличную скорость. Я заметил, что не стоит ехать слишком быстро. Сергей даже немного обиделся: «Ренат, ты сам машину водить не умеешь, поэтому тебе кажется, что я еду слишком быстро. На самом деле я ситуацию контролирую».

Я вспомнил, что в принципе все водители, мягко говоря, недоброжелательно относятся к попыткам говорить что-то им под руку, когда они ведут машину, поэтому не стал развивать эту тему дальше.

«Хорошо, — сказал я, — рули сам. Дорога, сказали, будет хорошей, поэтому сам смотри. Присматривай на трассе, где лучше заночевать».

«Все нормально!» — отозвался Сергей. В последние часы перед смертью он был необычайно воодушевлен. Всю дорогу шутил и прямо-таки наслаждался скоростью.

Катастрофа произошла через четыре часа двадцать минут после начала поездки. Сергею дан был последний шанс исправить и поменять судьбу, лишние двадцать минут стали для него роковыми.

Я дремал на переднем сиденье. На мгновение проснулся от сильнейшего удара головой о лобовое стекло и тут же отключился.

Очнувшись, я обнаружил себя лежащим на спине на земле. Я смотрел в черное небо надо мной и никак не мог понять, что произошло и где я нахожусь.

Руками пошарил вокруг себя, обнаружил лишь голую землю. Примерно в семи метрах от меня виднелись обломки машины. Я начал ощупывать себя, вроде все целое, ничего не болит.

Я встал на ноги и пошел к машине, возле которой толпились милиционеры и врачи. Я еще подумал про себя — надо же, как быстро, в считанные секунды приехали спецслужбы, молодцы.

Позднее оказалось, что я валялся без сознания примерно 15—20 минут. Увидев меня, милиционеры и врачи замахали руками: тебе нельзя ходить, ложись, не двигайся.

Тут я увидел то, что осталось от автомобиля — просто груда искореженного железа. Разбитым было абсолютно все — капот, крыша, двери, боковые стойки, багажник. Машина была смята, как пустая алюминиевая банка из-под пива.

Как потом выяснилось, машина на большой скорости слетела с дороги и произошел лобовой удар в одинокий железный столбик, стоявший посреди поля. После удара автомобиль отбросило в сторону и он еще метров двадцать кувыркался по земле и в воздухе, прежде чем остановился.

Во время этого кувыркания меня и выбросило через боковую дверцу в сторону.

«А где Сергей?» — спросил я у врача. Он махнул в сторону машины «скорой помощи».

Я по насыпи поднялся вверх на трассу, подошел к указанному автомобилю. Сергей лежал на носилках внутри машины, на его теле крови нигде видно не было. Я вначале подумал: повезло Сереге, не пострадал. Спросил у стоящего рядом врача: «Как он?»

«Умер мгновенно. Мы приехали, он уже мертвый был. Руль все ребра переломал».

Я смотрел на врача и не мог понять, что он говорит. Как умер? Это, наверное, какая-то ошибка. Как может умереть человек, который только что был живой? Надо что-то сделать, он не должен умирать, ему же только 29 лет!

Мне стало казаться, что произошла какая-то чудовищная ошибка, что это какой-то нелепый сон, какое-то недоразумение.

Все дальнейшее происходило как во сне — меня о чем-то спрашивали милиционеры, что-то записывали, в больнице спиртом стирали с меня кровь.

Помнится, одна из медсестер, держа в руках книгу «Откровения Ангелов-Хранителей», спросила: «Что же вас ваши Ангелы-Хранители не уберегли?»

На что вторая медсестра ответила ей вместо меня: «Как это не уберегли, ты что говоришь? В такой аварии побывал и отделался одними царапинами. Ни переломов, ни даже сотрясения мозга. Как в сказке».

В этот же день из больницы меня забрали Любаша, ее муж, сын и ее брат. Мы ехали в машине и через Любашу общались с душой Сергея.

Он первым делом начал нас всех успокаивать: «Не надо расстраиваться, не надо переживать, просто пришел мой час. Если бы я не умер сейчас, то погиб бы через месяц. За меня на Небесах хлопотал мой родной отец, который тоже рано умер. Я повторил судьбу отца.

Мне сейчас тут очень хорошо. Здесь лучше, чем на Земле. Здесь все так, как вы описывали в книгах, только все гораздо лучше».

Я спросил у Ангелов через Любашу: «Почему так произошло?» Мне ответили: «Тебе же сказали, что дорога будет хорошей. С тобой ничего плохого не произошло.

У Сергея тоже была хорошая дорога в мир иной. Он умер красиво — мгновенно, не мучаясь. Не от болезни и не по чьей-нибудь вине, о чем мечтал, то и получил».

Позднее, после похорон, друзья Сережи вспоминали: «Надо же, Серега умер именно так, как хотел. Однажды он сказал то ли в шутку, то ли всерьез: хорошо было бы умереть в раннем возрасте, лучше всего разогнаться на машине и врезаться в бензоколонку — чтобы быстро и не мучиться».

Я вспомнил еще одну историю.

Когда-то, лет десять назад, мы с одним моим близким другом Виктором посетили Ваганьковское кладбище в Москве. Он медленно прогуливался по аллее мимо могил и рассуждал: «Вот красивый памятник, мне бы вот такой подошел на могилу. Или нет, лучше вот этот».

Виктору было всего 35 лет, поэтому я лишь улыбнулся: «Что-то ты рано примеряешься».

Через два месяца мне позвонили по телефону и сказали, что мой друг неожиданно умер от сердечного приступа.

После того как в раннем возрасте умер знаменитый актер Олег Даль, его знакомые вспомнили, как за несколько месяцев перед смертью он, увидев едущий по дороге катафалк, сказал что-то вроде: «Вот это за мной».
Слова оказались пророческими.

Еще одна история — мой знакомый однажды сказал: «Самая лучшая смерть — это разбиться на машине. Легко и быстро».

В конце концов с ним случилось именно то, что он хотел — на огромной скорости его машина вылетела с трассы и врезалась в жилой дом. Машина сильно пострадала, водитель остался жить.

Водитель остался жить, потому что его дома ждали жена и маленький ребенок. Ангелы не захотели оставить эту семью без кормильца.

Вот как все тесно связано в этом мире.

Честно говоря, у меня было предчувствие, что со мной может произойти что-то неприятное, потому что Ангелы неоднократно говорили, что ничего в этом мире просто так не дается, за все нужно отстрадать и отмучиться. За белой полосой обязательно будет идти черная.

Когда я слушал рассказы Любаши о ее жизни, о том, сколько страданий выпало на ее голову в детстве, в юности и в зрелом возрасте, то мне становилось не по себе.

Дело в том, что моя жизнь на фоне Любашиной выглядит достаточно ровной и спокойной — счастливое детство, учеба в университете, армия, любимая работа — в 23 года я был владельцем собственной газеты.

Все было слишком хорошо. Задумываясь о будущем, я всегда просил у Бога: если мне суждено заплатить чем-то за мое счастье, то лишь бы не здоровьем. Пусть лучше я потеряю много денег или переживу какие-нибудь неприятности, это не страшно.

После аварии я, лежа на больничной кровати, думал — вот и сбылось мое пожелание. Пережил сильнейший стресс, но остался живым и здоровым, видимо, это и есть моя плата за благополучие.

Вспомнил еще, как пять лет назад Любаша описывала мою прошлую последнюю жизнь: «Ты жил в начале века в Америке, был автогонщиком, твой автомобиль взорвался во время гонок, ты мгновенно погиб. Прожил ты 35 лет. Поэтому у тебя нет тяги к машинам, ты в этой жизни к ним относишься с настороженностью».

Действительно, в детстве отец, помнится, всегда недоумевал: «Ренат, почему ты не хочешь учиться машину водить? У нас же есть «Жигули». Другие мальчишки ключи у родителей воруют, угоняют чужие машины, лишь бы покататься. А тебя за руль силком загнать нельзя. Почему так?»

Я отвечал: «Не знаю, почему-то душа не лежит, и все».

Самая потрясающая деталь — в момент аварии мне было 35 лет. В прошлой жизни я погиб как раз в этом возрасте. В этой жизни я вновь пережил автокатастрофу, но остался жить.

Как позже пояснили Ангелы: «Тебя оставили для книг. Ты еще не выполнил все то, что ты должен сделать на Земле, твоя миссия еще не закончилась. Поэтому тебя вынули из машины и аккуратно положили в стороне».

После пережитого я стал совсем иначе относиться к сообщениям типа: «Девочка упала с 11-го этажа, встала и пошла домой» или «Лыжник, пролетевший сто метров, ударился об землю и остался жив». Я знаю, это рáбота Ангелов, которые всех нас любят и берегут.

Вот так на самом деле устроен наш мир. Ничего случайного в этой жизни не бывает. Надо к этому относиться с пониманием.

Только-только я написал эти строчки, как вдруг ко мне подошла Любаша, заметно расстроенная, и сказала:

— Помнишь Игоря (имя изменено), бизнесмена?

— Конечно, помню.

— Вот только что мне сказали, что его застрелили.

Мы оба замолчали. Этот человек был у Любаши несколько месяцев назад на приеме. Наверняка сейчас его родственники говорят между собой опять об одном и том же: «Почему никто не предупредил Игоря о скорой смерти?»

Любаша, поняв мой немой вопрос, сказала: «Я еще тогда удивилась, почему мне не показывают его будущее. Вот не просматривается будущее, и все. А почему — ничего не говорят».

«Может, уже поздно было что-то исправлять?» — спросил я.

«Да. Он не послушал Ангелов, которые предупредили его не трогать своего должника, а простить его,

278

добавив, что будут большие неприятности. Игорь информацию получил, но не послушал их и мыслей о мести должнику не оставил, хотя долг для него был незначительный.

Видя мысли человека и его реакцию на их слова, Ангелы не захотели больше ничего говорить, и человек выбрал, сам ничего не подозревая, как в сказке, одну из трех дорог.

Существует такая определенная точка, после которой возврат уже невозможен. Судьбу каждого человека можно исправить, но лишь до определенного момента. И где находится эта черта, знают только на Небесах, только там решают, сколько человеку предстоит прожить и когда именно он умрет.

Но сам человек может изменить свою дорогу, если выполнит все в точности и при этом не будет переспрашивать по десять раз: почему я должен сделать так, а не иначе, не так, как я хочу?..»

Поэтому хотелось бы обратиться ко всем людям, которые встречались, близко знакомы с Любовью Ивановной Пановой или мечтают о встрече с ней. Если произошла какая-нибудь беда с вашими близкими, не пытайтесь сразу обвинить Любовь Ивановну в том, что она не помогла вам и не предупредила заранее об опасности, это вы сами не захотели от нее уйти, подвергая многое сомнению. «По вере твоей воздастся тебе!»

Если Ангелы посчитают нужным, то они донесут до вас правду, когда в этом есть необходимость. Если не посчитают нужным, то ничего не скажут, и тут уже нет вины посредника, находящегося между миром земным и миром небесным.

Все в руках Господа.

В предыдущих книгах мы указывали телефоны для справок (8612-62-33-07 и 095-740-08-73). В настоящее время оба эти номера нам не принадлежат, поэтому любая информация, полученная вами по этим телефонам, является НЕДЕЙСТВИТЕЛЬНОЙ.

Обращаемся ко всем нашим читателям с убедительной просьбой по этим телефонам больше НЕ ЗВОНИТЬ.

Уважаемые читатели!
В серии "Откровения Ангелов-Хранителей"
вышли следующие книги:

Откровения Ангелов-Хранителей. Кн. 1-я
Начало

Откровения Ангелов-Хранителей. Кн. 2-я
Путь Иисуса

Откровения Ангелов-Хранителей. Кн. 3-я
Крест Иисуса

Откровения Ангелов-Хранителей. Кн. 4-я
Любовь и жизнь

Откровения Ангелов-Хранителей. Кн. 5-я
Рай или Ад

Откровения Ангелов-Хранителей. Кн. 6-я
Переселение душ

В следующих книгах серии «Откровения Ангелов-Хранителей» предполагается затронуть такие темы:

Святые места на Земле — чудотворные могилы, источники святой воды, культовые сооружения разных народов, места явлений Богоматери и Иисуса.

Буддизм — подлинная история Будды, суть его учения, тайны и загадки древней Индии и Тибета.

Природа и здоровье человека — лекарственные травы, правильное питание, секреты народной медицины, здоровый образ жизни.

Настоящая история России — когда появились первые люди на территории России, когда и откуда началась Древняя Русь, было ли монголо-татарское иго, где на самом деле происходила Куликовская битва; вся правда об Иване Грозном, Батые, Александре Невском, вещем Олеге; существует ли библиотека Ивана Грозного; аномальные явления на территории России.

Судьба — почему одним людям везет, а другим нет; что делать в сложных ситуациях; советы от Ангелов-Хранителей.

Настоящая мировая история — первые моря на Земле, древний мир, средневековье, подлинная хронология мировой истории, влияние исторических деятелей на мировое развитие.

Все тайны человечества — аномальные явления, что, когда, где, по какой причине произошло.

Инопланетяне — загадки, связанные с НЛО, следы пришельцев на Земле, история контактов с инопланетянами за все время существования нашей планеты.

В новых книгах серии «Откровения Ангелов-Хранителей» будут даны ответы на многие вопросы, волнующие читателей.

Содержание

Книги издательской группы АСТ
вы сможете заказать
и получить по почте
в любом уголке России. Пишите:

107140, Москва, а/я 140

ВЫСЫЛАЕТСЯ БЕСПЛАТНЫЙ КАТАЛОГ

Вы также сможете приобрести книги группы АСТ
по низким издательским ценам
в наших фирменных магазинах:

Москва

- м. «Алексеевская», Звездный б-р, д. 21, стр. 1, тел. 232-19-05
- м. «Алтуфьево», Алтуфьевское шоссе, д. 86, к. 1
- м. «Варшавская», Чонгарский б-р, д. 18а, тел. 119-90-89
- м. «Крылатское», Осенний б-р, д. 18, к.1
- м. «Кузьминки», Волгоградский пр., д. 132, тел. 172-18-97
- м. «Павелецкая», ул. Татарская, д. 14, тел. 959-20-95
- м. «Перово», ул. 2-я Владимирская, д. 52, тел. 306-18-91, 306-18-97
- м. «Пушкинская», «Маяковская», ул. Каретный ряд, д. 5/10, тел. 209-66-01, 299-65-84
- м. «Сокол», Ленинградский пр., д. 76, к. 1, Торговый комплекс «Метромаркет», 3-й этаж, тел. 781-40-76
- м. «Сокольники», ул. Стромынка, д. 14/1, тел. 268-14-55
- м. «Таганская», «Марксистская», Б. Факельный пер., д. 3, стр. 2, тел. 911-21-07
- м. «Царицыно», ул. Луганская, д. 7, к. 1, тел. 322-28-22
- Торговый комплекс «XL», Дмитровское шоссе, д. 89, тел. 783-97-08
- Торговый комплекс «Крокус-Сити», 65—66-й км МКАД, тел. 942-94-25

Издательская группа АСТ

129085, Москва, Звездный бульвар, д. 21, 7-й этаж

Справки по телефону:
(095) 215-01-01, факс 215-51-10
E-mail: astpub@aha.ru   http://www.ast.ru

Гарифзянов Ренат Ильдарович
Панова Любовь Ивановна

Откровения ангелов-хранителей

Переселение душ

Художественный редактор О.Н. Адаскина
Компьютерная верстка: В.А. Смехов
Технический редактор О.В. Панкрашина
Младший редактор Е.А. Лазарева

Общероссийский классификатор продукции ОК-005-93, том 2;
953004 — литература научная и производственная

Санитарно-эпидемиологическое заключение
№ 77.99.02.953.Д.000577.02.04 от 03.02.2004 г.

ООО «Издательство АСТ»
667000, Республика Тыва, г. Кызыл, ул. Кочетова, д. 28
Наши электронные адреса:
WWW.AST.RU E-mail: astpub@aha.ru

При участии ООО «Харвест».
Лицензия № 02330/0056935 от 30.04.04.
РБ, 220013, Минск, ул. Кульман,
д. 1, корп. 3, эт. 4, к. 42.

Открытое акционерное общество
«Полиграфкомбинат им. Я. Коласа».
220600, Минск, ул. Красная, 23.